KB178312

유럽여행 에세이

# 소곤소곤 윤슬이 아른아른 별뉘에
# : 로마에서 리옹까지

**소곤소곤 윤슬이 아른아른 별뉘에 : 로마에서 리옹까지**
유럽여행 에세이

**발 행** | 2024년 6월 3일
**저 자** | 윤대협
**펴낸이** | 한건희
**펴낸곳** | 주식회사 부크크
**출판사등록** | 2014.07.15.(제2014-16호)
**주 소** | 서울특별시 금천구 가산디지털1로 119 SK트윈타워 A동 305호
**전 화** | 1670-8316
**이메일** | info@bookk.co.kr

ISBN | 979-11-410-8805-7

www.bookk.co.kr

유럽여행 에세이

# 소곤소곤
# 윤슬이
# 아른아른
# 별뉘에
# : 로마에서 리옹까지

윤대협 지음

목차

## 프롤로그

이 책은 나 홀로 여행기이다. 이탈리아 로마, 피렌체, 베네치아, 밀라노를 여행하고, 프랑스로 넘어가 니스, 마르세유를 경유하여 리옹에서 여정을 마치고 돌아왔다. 15박 16일간의 일정이었으며, 이탈리아 피렌체에서 크리스마스를, 프랑스 니스에서 새해를 맞이했다. 여행을 시작하기 전에 나의 주목적은 바티칸 베드로 대성당에서 미사를 보고, 니스에서 멋진 일출을 보는 것이었는데 여행이 끝난 지금 결론을 말하자면 목표를 달성하지 못했다. 그래도 여행의 과정들은 값지고 알찼으며 매우 만족스럽다. 이따금 새삼 혼자라고 느낄 때 시무룩하고 의기소침해졌으나 슬프거나 외롭지는 않았다. 이미 여행이라는 동행이 있었기 때문이다.

빛에 비치어 반짝이는 잔물결을 윤슬이라 하고, 작은 틈을 통하여 잠시 비치는 햇볕을 볕뉘라 한다. 야트막한 개울이 노래 부르는 곳들이나 지중해를 끼고 있는 나라들을 가면 여한 없이 볼 수 있는 것이 윤슬이다. 오솔길을 가로지르는 잎이 무성한 나뭇가지 사이로, 로마네스크 성당 두꺼운 벽 꼭대기에 살며시 난 작은 창을 통해 수줍게 스며들어오는 빛이 볕뉘이다. 이 책은 내가 다녀왔던 곳곳의 볕뉘들에서 속삭이던 윤슬들에 대한 기록이다. 이제 긴 시간이 흘러 여행의 순간순간을 정확하게 기억하지 못하지만, 그 윤슬과 볕뉘를 생각하면 여전히 웃음이 머금어진다.

내 삶의 거의 모든 활동은 하지 않고서는 배길 수 없어 시작했던 것 같다. '중독을 끊지 못하는 사람들의 금단현상을 이해하려면 변의를 참아보려고 노력해야 한다.'는 설명과도 같이, 변의처럼 참을 수 없는 욕구가 가득 찬 상태에서 시작하는 것이 나라는 인간이다.

초등학교 3학년 때부터 6학년까지 꼬박꼬박 일기를 썼다. 빼먹지 않고 일기를 잘 써서 칭찬도 받았다. 주제가 없는 날에는 몇 시에 일어나서, 몇 시에 아침을 먹고, 몇 시에 점심을 먹었는지 라도 썼다. 이순신 장군도 하다못해 '출근해서 점검했다.' 하고 끝마치신 날도 있지 않은가. 쓰기 싫은 날이 더 많은 게 당연했겠지만, 무언가를 쓰지 않으면 무료함을 견딜 수 없어, 연필을 쥐고 무엇이라도 끄적이고 싶어 쓴 기억이 많다. 나이가 들면서 연필보다 자판을 더 많이 쥐게 되고, 공책보다 스마트폰을 더 많이 마주하게 되면서 점점 일기 쓰는 횟수가 줄어들었다. 이제는 참을 수 없이 화가 나는 날 혹은 기쁜 날 혹은 슬픈 날이 아니고서는 일기를 거의 쓰지 않는다. 내가 무언가를 쓰지 않고 지나가는 날은 안온하게 지낸 날이다. 나이가 들고 감각이 둔해지면서 큰일도 작은 일처럼 느껴지고 죽지만 않으면 무사히 평온하게 지냈다고 하는 날이 많아지면서 일기 쓰는 횟수가 줄어들고 있다.

예나 지금이나 그래도 변치 않는 것이 있다면 쓰지 않고서는 참을 수 없는 욕구에 의해서만 쓴다는 것이다. 나는 '무엇을 써야지.'하고 다짐하고서는 쓸 수 없는 사람이다. 목차와 개요, 줄거리 등 체계적인 계획을 잡아 놓고서는 그 목차를 채울 수가 없다. 기승전결이 완벽하게 플롯을 짜거나 목차를 잡을 수는 있으나, 사이사이를 어떻게 채워야 하는지 머리에서 나오는 게 없다. 평소 할 말 없이 사는 것 같다. 그러다가, 그냥 하루하루 아무 생각 없이, 아무 욕구 없이 살다가 '이건 도저히 못 참겠다.'하고 폭소든 울화든 뭐가 터져야 비로소 쓰게 된다. 나는 죽었다가 깨나도 무라카미 하루키 같은 사람은 못 된다.

이 책은 10년이 지난 먼 옛날 이탈리아와 남부 프

랑스 여행을 다니면서 모아 두었던 일지이다. 그날그날의 경로와 잊을 수 없는 경험을 그때그때 스마트폰으로 남기고, 집에 와서는 블로그에 옮겨 담았었다. 정제되지 않은 언어, 정리되지 않은 순서로 마땅한 체계 없이 '게시글'로 쌓아만 두었었다. '언젠가는 정리해야지.'하고 마음만 먹은 지 어언 10년이다. 그렇게 오래된 이야기를 이제야 모은 것은 순전히 내 게으름 때문이다. 그리고 그냥 쌓아둔 채 정리하지 않는 건 더는 참을 수 없는 지경에 이르렀기 때문이다. 이 기록을 한데 모아 완성된 이야기로 만들지 않고서는 이 찜찜한 기분을 해소할 수 없다. 죽이 되든 밥이 되든 일단 쌀을 씻기로 했다.

여행일지를 쓸 때는 할 말이 많은 날은 주저리주저리 주체 못 하고 철철 넘치게 쓰다가 또 할 말이 없는 날은 꿀 먹은 벙어리처럼 한, 두 마디하고 뚝 끊어버렸다. 쓸 때는 모른다. 대충 자판을 두들겨 휘갈기고 엔터를 쳐버리고 스마트폰을 닫아버리면 기분이 좋으니까 말이다. 그 뒤에 그걸 삭제하든 지지고 볶아 먹든 내일의 내가 알아서 할 테니까. 흥이 올라 미친 속도로 글을 써내려 갈 때는 '가자, 가즈아! 이대로라면 오늘한 권 나온다!' 하다가도 다음 날 다시 보면 한숨이 나온다. 맨정신으로 돌아온 뒤 내가 쓴 글을 다시 보면 <빌 브라이슨의 발칙한 유럽산책>에서처럼 "사방에 석유 냄새가 진동한다."일 뿐이다.

그리고 나는 지금 정화작업을 하고 있다. 세상 그 누구도 하기 힘들다는 '자기가 생산한 오물을 자기가 치우기'를 하려고 한다. 다른 사람에게 맡길 수도 없고 맡겨서도 안 되는 일이다. 나는 이 오물을 쓸어 담고 잘 포장해서 장식장에 올려둘 것이다. 오물이 그냥 흘러가게 놔둬도 되지 않냐고 묻는다면, 내 마음이 편치 않기 때문에 그렇게 할 수 없다고 답하겠다. 나는 누구에게나 자신의 오물이 떠나가는 것을 슬퍼하는 유아적 행태가 남아 있다고 생각한다. 그래서 나의 노력을 이해해 주리라고 생각한다.

여행 다니면서 제멋대로 지껄여 놓았던 기록들을 나름대로 잇고 붙이고 떼어 조절하면서 현장에 있는 생생함을 최대한 전달하고자 노력했다. 책이나 인터넷에서 주워 읽고 들은 것을 차곡차곡 쌓고, 현장에서 발견한 것을 덧붙이면서 그래도 멀쩡한 기록이 되도록 노력했다. 무엇이 어디에 있느냐도 중요하지만 거기서 내가 어떤 짓을 하고 어떤 생각을 했느냐도 중요하다고 보아, 지식보다는 경험이나 감정에 초점을 맞추었다. 글을 쓸 때가 2013년이어서 각종 비용 등이 현황과 맞지 않는다는 점을 널리 양해해 주시면 감사하겠다.

2024년 여름

윤대협

DAY 1 로마

# 오늘부터 1일

새해까지 열흘 남았다. 나는 런던 근교에 있다. 오늘은 이탈리아 로마로 출발한다.

아직 동트지 않은 6시, 코벤트리 버스터미널에서 런던 스탄스테드 공항까지 가는 고속버스를 탔다. 한국에서는 고속터미널 가서 방금 끊은 따끈따끈한 표를 갖고 버스에 오르는 게 쏠쏠한 재미였는데, 영국은 모든 것을 다 예약받는다. 음악회, 전시회, 식당은 물론이고 기차와 버스도 사전예매를 받는다. 하지만 버스 사전예매라는 것에 익숙지 않은 나는, 불의의 오류가 발생했을 때 어떻게 조치해야 할지 걱정이 되어 현장구매를 하기로 했다. 버스를 예매하면 29.5파운드이지만, 현장에서 구매하면 31.7파운드인 데다가 거스름돈도 안 돌려주기 때문에, 거금 35파운드를 150킬로미터 버스를 타는데 지출했다. 런던에서 로마까지 약 1,800킬로미터를 가는 데에 233파운드가 드는데 말이다.

뿌연 안개 너머 네온사인이 빛나는 건물이 보였다. 옆자리 아가씨에게 물었다. "죄송해요. 여기가 스탄스테드 공항인가요?" 아가씨는 신생아를 보듯이 사랑스럽게 나를 보며 상냥하게 답했다. "오, 레이디, 이곳은 루톤 공항이에요. 조금만 더 가면 스탄스테드 공항이니 같이 내려요." 나는 이 아가씨가 지방에서 온 영국여자라고 확신했다. 35파운드를 날리고 남은 내 전 재산 465파운드를 걸 수 있었다.

런던이나 서울이나 대도시는 똑같다. 지옥철을 뚫고 출근하는 사람들에게는 은은한 광기가 떠돈다. 백화점 명품관을 둘러보는 사람들에게는 아닌 척하면서도 과시하고 싶어 하는 속물의 냄새가 배어있다. 횡단보도에서 신호를 기다리는 사람에게서는 옆사람을 신경 쓸 여유가 없는, 신경 쓰지 않고 싶어 하는 무관심의 속내가 읽힌다. 회색의 도시에서는 누구나 같은 모습으로, 같은 향취로 같이 부대낀다. 모든 나라의 대도시는 같은 모양새다. 하지만 모든 나라의 시골은 각양각색이다.

지방의 영국 남자는 보통 백 년 묵은 맥주통에서 나는 퀴퀴한 냄새가 서까래에 스며든 어두컴컴한 펍 한편 카운터에 팔꿈치를 걸치고 상반신을 의지한 채 프리미어리그가 방영되는 텔레비전 모니터를 주시한다. 바텐더에게 2번 접은 5파운드를 내밀면서 "고맙슈(Cheers)." 하며 방금 따른 파인트 맥주에서 흘러내리는 한 방울의 거품조차 용납하지 않을 기세로 맥주잔을 핥아댄다. 하절기에는 주로 목이 약간 늘어난 라운드 티셔츠를, 동절기에는 플란넬셔츠에 퀼트재킷을 입는다.

지방의 영국 여자는 자애롭다. 사람이든 동물이든 꽃이든 잔디든 사랑스러운 눈으로 바라보며 정성을 다해 가꾸고 상냥하게 보듬는다. 사무실 누군가 재채기를 하면 저 멀리서 '솔' 음정의 "몸조심하세요(Bless you)!"하는 소리가 들린다. 마트에서 계산할 때 가방 제일 밑에 깔려있는 지갑을 꺼내느라 당황하며 뒤적이면 뒤에 서계신 아줌마가 "천천히 천천히(Take it easy)!"하신다. 입을 떼면 디폴트가 "예쁘다(Lovely)!"이고 옵션이 "훌륭해(Brilliant)!"이다. 전 세계 아줌마들은 다들 비슷하겠지만 지방의 영국여자는 말 그대로 사랑과 애정이 넘친다.

아무튼 상냥한 아가씨와 같이 스탄스테드 공항에 내렸다. 이른 아침이었지만 사람들은 바글바글했다. 보안 검색대에서 검색요원이 묻는다. "랩탑이나 아이패드가 있습니까?" 철저한 계획형 인간인 나는 이럴 때를 대비해 왔다. 자랑스럽게 나의 DSLR 카메라를 꺼내 들고 "여기 나의 DSLR 카메라가 있습니다.(플래그십 모델은 아니지만 여행자들을 위한 캐논의 역작이라 불리는 가성비 모델이죠, 라고 속으로 생각했다.)" 이전에 파리 샤를 드 골 공항에서 영국행 비행기로 환승할 때 카메라를 검색대에 올린 경험이 있어 이번에도 역시나 드릉드릉 꺼낼 준비를 하고 있었던 것이다. 검색요원은 사무적으로 대답했다. "그건 됐습니다(That's fine)." 나는 농락당한 기분이었다.

왜 거절하는가. 지난번에는 왜 검색대에 올리라고 했던가. 어떤 물품을 꺼내 검색해야 하는지 매뉴얼이 있는 것이 아니었던가. 검색요원 또는 공항 또는 항공사의 재량에 맡겨진 것이었던가. 또는 기체의 종류나 탑승 시각 혹은 탑승객의 외관에 따라 판단되는 것이던가. 내가 아시아 촌구석에서 온 일자무식 아낙으로 보여 테러 계획은커녕 테러 같은 걸 알지도 못한다고 생각하는 건가.

해소되지 않은 의문을 품고 비행기에 몸을 실었다.

비행 여정은 잔혹했다. 그토록 먼 거리를 이토록 저렴한 가격에 이동하려고 저가 항공을 예약한 저렴한 여행자들에게 본때를 보여주기라도 할 듯이 좌석은 좁고 작았으며, 어떠한 식사와 음료도 제공되지 않았다. 요청하면 냉수 한 잔이 제공되었는데, 그마저도 말 그대로 한 번 쓰면 구겨져 버릴 얇은 플라스틱컵에 담겨 있었다. 마치 이 비행기 내에서 내가 차지하고 있는 가치는 그 플라스틱컵 정도라고 지적하는 듯했다. 하지만 저가 항공이라도 임무에는 충실했다. 비행기는 우리를 안전하고 정확하게 로마 치암피노 공항에 데려다주었다. 로마에 도착했다. 아니 아직, 이곳은 문명 이기의 결집체 공항이다. 이제 진짜 로마로 입성해야 한다.

로마 치암피노 공항은 유럽노선 항공 위주의 공항이라 매우 작았다. 로마와는 꽤 거리가 있었는데 테라비전이라는 공항버스를 타고 로마 시내로 진입한다. 출국장을 나와 테라비전 버스표 창구를 찾았다. 하지만 매표원은 눈을 찡긋, 윙크를 하며 말한다. "표는 밖에 나가 줄 서서 사세요." 매표창구에서 표를 팔지 않는 동네, 웰컴 투 이탈리아다. 나는 속으로 갖은 욕을 날리되, 눈은 같이 찡긋 화답해 주었다.

공항을 나와서 보니 주차장에 버스들이 줄지어 서 있는데 어떤 것이 테라비전 버스인지 모르겠다. 사람들이 많이 몰려있는 곳에 갔더니 분홍색과 보라색이 사선방향으로 색칠된 표를 한 장씩 들고 있다. 일련의 아줌마, 아저씨들이 구석에 가서 줄을 섰다가 다시 사람들 많은 곳으로 돌아가길래 나도 따라다녔다. 그 사람들도 나를 흘끗흘끗 보고 나도 그들을 흘끗흘끗 보는데 그들 손에는 테라비전 표가 있고, 내 손에는 없다. 게 중 한 아줌마에게 얼떨결에 소리쳤다. "테, 테, 테라비전 버스?" 가히 듣기 평가의 천재라고 할 만한 아줌마가 대답하신다. "표가 있나요?" 내가 "아, 아니요. 없어요." 하자, 고맙게도 나를 어떤 청년에게 데려다주신다. 청년이 익숙하다는 듯 "겨우 한 장(Only one ticket)?" 하고 묻자 나는 고개를 세차게 끄덕였다. 4유로란다. 인터넷 예매는 4유로이고 현장구매는 6유로라고 들었는데, 현장구매도 4유로였다! 로마 도착 첫날부터 기분이 째졌다. 절도와 사기가 횡행하는 도시에서 돈이 굳었다! 냉큼 4유로 티켓을 들고 좋아라 사람 무더기 속에 파묻혔다.

얼마 지나지 않아 테라비전 버스가 와서 사람들을 실었다. 공교롭게 내 앞 앞사람에서 줄이 끊겼다. 아깝다. 조금만 새치기했으면 나도 타는 건데. 그렇게 20분이 흘렀다. 버스는 오지 않았다. 30분이 흘렀다. 버스는 오지 않았다. 옆 칸에는 다른 업체 공항버스가 들고 나면서 사람들을 실어 날랐다. 나보다 늦게 나온 사람들도 빈 버스표를 냉큼 사서 타고 갔다. 내 뒤에 있던 젊은 여성은 다른 버스표를 새로 사서 가면서 드라마틱한 제스처로 테라비전 표를 던져버렸다. 나는 4유로 표를 내려보며 오늘 밤을 새더라도 반드시 테라비전을 타겠다고 각오했다. 이쯤 되니 돈 낭비고 아니고를 떠나 테라비전이라는 고지를 정복하고야 말겠다는 의지가 불타올랐다.

마침내 줄 선 지 40분째, 버스가 왔다. 사람들이 <워킹데드> 같이 우적우적 모여들었다. 나는 기득권도 있었고, 표를 팔았던 청년과 안면도 있고, 또 아무튼 이래저래 내 자리를 빼앗길 수 없다고 다짐하고 굳건하게 줄을 지켰다. 검표하는 아저씨에게 표를 내밀자 반으로 자르면서 캐리어는 트렁크에 넣고 오라고 했다. 나는 재빨리 캐리어를 아무렇게나 트렁크에 던져버리고 버스 계단을 올라 착석했다. 그리고 의기양양하게 내 뒤로 타는 사람들을 흘끗흘끗 쳐다보았다. 다들 나 못지않게 의기양양한 얼굴이었다. 우리는 다 같이 전장에서 살아남은 패잔병이었다. 얼마 후 사람들이 빼곡히 들어차고 우리는 로마 시내로 출발했다. 아직 타지 못한 사람들에게 심심한 위로를 남겼다.

달린 지 20분 정도 지나자 로마 시내에 들어온 것처럼 보였다. 차가 밀렸기 때문에 확신할 수 있었다. 사실 원래 차는 공항을 나오자 마자부터 밀리고 있었는데, 시내는 단계가 달랐다. 이곳은 지하 던전이었다. 2차선 도로였는데 같은 줄에 있는 차량은 3대였다. 모든 차가 일종의 무빙워크를 타고 있는 듯 한 개의 뭉텅이로 어우러져 동시에 조금씩 움직이고 있었다. 그 와중에 한, 두 대는 대가리를 사선으로 들이밀면서 눈치를 보고 있었다. 버스 차고가 높은 덕분에 멀미가 덜 나서 다행이었다. 한편으로는 다행이지 않았다. 깜빡이 없이 끼어들어오는 얌체와 길도 모르면서 주말에 차 끌고 나온 악마들이 주연인 바보들의 행진을 돈 주고 관람하는 기분이었다. 게다가 보너스로 단지 운전자들을 약올리기 위해 길을 건너는 척 왔다 갔다 하는 무단횡단자들도 등장했다. 차라리 잠을 자야겠다고 생각했지만,

눈 뜨면 코 베어 간다는 로마에서 그럴 수는 없었다. 왠지 잠들었다가 눈을 뜨면 태평양 참치잡이 원양어선에 있을 것 같았다. 버스는 40여 분간 시내를 향해 어떻게든 파고든 후 승객들을 로마의 중심 테르미니 역에 내려줬다. 그토록 치솟았던 분노가 사그라들고, 아무 소득 없었던 인질극이 끝난 것처럼 감사하는 마음이 먼저 들었다. 버스기사에게 경쾌한 목소리로 "땡큐!"라고 외치고 스타카토 같이 발걸음을 뗐다.

내가 숙소로 잡은 민박집 사장님은 테르미니역 24번 출구에서 보자고 했었다. 사장님께서 기차역에서 민박집까지는 짧은 거리이지만 만반의 사태에 대비하여 직접 나와봐야지 안심하겠다고 하셨다. 내가 내린 곳은 테르미니역 1번 출구였고, 24번 출구는 그 반대편 끝이었다. 그곳까지 안전하고 온전하게 생존해서 가야 했다. 소매치기를 예방하기 위해 특별히 안에 받쳐 입은 낚시용 망사조끼와 허리가방을 다시 확인하고, 기차역 복도를 질주했다. 눈은 정면 목표지점을 향하고 손에 든 캐리어를 달랑거리며 경보법을 시전했다. 우물쭈물 하고 있다가는 소매치기들의 좋은 표적이 된다고 들었다. '나는 명확한 목적지와 루트를 가지고 있으니, 너희

들 따위에게 당할 수 없다.'는 의지를 만천하에 공개하듯 24번 플랫폼까지 당차게 걸어갔다. 중간쯤에서 플랫폼이 끊기고 공사 중이어서 대차게 주변을 헤맸지만, 결국 24번 출구 어느 카페 앞에 도착했다. 그리고 8분 정도, 주머니를 주섬주섬 챙기면서, 나를 노렸는지 어쨌는지 모르겠는 주변 청년들을 노려보며 신경전을 펼쳤다. 낚시조끼와 등산 레깅스, 산과 물의 조합, 도저히 관광객으로는 어울리지 않는 복장을 겹겹이 겹쳐 입고 마무리는 쑥색 방한점퍼를 입은 여인네. 그 사람들은 나를 집시로 생각했을 수도 있겠다. 과민과 오해로 범벅된 신경전을 마치고 마중 나온 사장님을 따라 안전하게 민박집에 도착했다. 오늘부터 여행이랑 1일이다.

DAY 2 로마 남부 투어

# 한국인의 광기를 보여주자

유럽은 배낭여행의 성지이다. 아니, 성지였었다. 이제는 패키지여행의 성지이다. '영프스이' 4개국 10박 여행은 학생시절을 회상하며 다시 모인 중년 여성들의 동창회 필수코스이다. 소꿉친구들과 '먼 나라 이웃나라' 소풍을 떠나는 인천공항은 하하 호호 들뜬 분위기로 연일 화기애애하다. 한국에서 출발하는 패키지여행의 인기에 힘입어 유럽 현지에서 구성되는 한국인용 패키지 투어 상품도 우후죽순 생겨났다. 나도 그중 '유로 자전거나라'의 '로마 남부 투어', '바티칸 시국 투어'와 '로마 버스 투어'를 예약해 놓았다.

로마에서 출발하는 남부투어는 오전 7시에 출발한다.

나폴리, 폼페이, 소렌토 3개 도시의 약자를 따서 '나폼소' 투어라고도 한다. 하지만 어떤 투어상품도 나폴리는 거의 가지 않는 듯하다. 나폴리도 과거 왕국의 수도였으니 관광명소가 없지는 않을 것 같은데 아무래도 치안이나 교통상 번거로움 때문인 듯하다. 나폴리의 이미지는 일단 항구도시라는 데에서 거친 과격함이 기본으로 깔려있고, 마피아의 거점이라는 데에서 폭력성이 배가된다. 엘레나 페란테가 그린 70년대의 나폴리에서는 거의 모든 아이들이 가부장적이고 전근대적인 가정에서 지금으로 따지면 학대에 가까운 취급을 받으면서 양육되고, 그로 인해 폭력성이 자연스럽게 배양된다. <나폴리 4부작>은 치정과 성장, 성공과 회한에 대한 이야기이지만 그 모든 흐름의 기저에 깔린 것은 야만과 폭력이다. 나폴리에서는 사람이든 도시든 비릿하게 진동하는 날 것의 냄새가 난다. 세계 3대 미항이라는 별명에도 불구하고, 과거의 아름다움에 젖기에는 악취를 풍기며 너저분하게 이것저것 널려있는 도로 꼬락서니, 외지인에 대한 의심스러운 눈초리 등 나폴리에 발을 들여놓기 꺼림칙한 이유들이 꽤나 많나 보다.

7시에 출발하는 전세버스를 두고 한국인들은 좋은

좌석을 차지하기 위해 6시부터 탑승하겠다고 온다. 남부 투어가 있는 날, 민박집에서는 아침밥을 6시에 준비해 주신다. 등교를 앞둔 고등학생 자녀에게 엄마들은 새벽부터 불고기 반찬이 든 도시락을 싼다. 이것이 한국인의 모정이다. 놀러 나가는 아들, 딸뻘 여행자들을 위해 민박집 사장님은 이른 새벽부터 아침밥을 짓는다. 이것이 한국인의 광기다.

로마에서 제일 먼저 도착하는 폼페이까지는 3시간 거리다. 버스가 출발한 지 1시간쯤 되면 휴게소에 한 번 들르는데, 가이드께서 권고한다. '이 휴게소에서 꼭 화장실을 사용할 것, 그리고 그날 흡입할 포켓커피와 물을 쟁여놓을 것'. 이탈리아 특산품 포켓커피는 커피가 든 초콜릿으로 페레로로쉐나 누텔라의 자매품이다. 겨울용은 초콜릿 내부에 커피가 들어 있어 초콜릿을 씹어먹으면 커피가 터져서 맛이 어우러진다. 여름용은 너겟초콜릿 크기의 컵에 에스프레소가 들어있고 미니 빨대가 같이 들어있다. 커피와 초콜릿의 조합은 흔하겠지만, 이런 아이디어는 역시 커피에도 초콜릿에도 진심뿐인 이탈리아만이 가능하지 않을까 싶다.

3시간 여의 주행 끝에 폼페이에 도착했다. 폼페이는

로마 부자들의 별장이 많은 휴양지였다. 위치는 우리로 치면 대천쯤 되려나. 베수비오 화산의 폭발하면서 인구의 10퍼센트가 사라졌고, 도시의 모든 것은 3층 높이의 화산재에 뒤덮였다. 화산 폭발 직후 도착한 구조팀은 지상에서 폼페이의 흔적을 찾을 수 없었다. 폼페이는 그들의 발보다 6, 7미터 아래에 있었던 것이다. 대지진도 있었고, 간간히 용암 분출도 있었듯이 화산 폭발은 예정되어 있었다. 폭발 며칠 전에도 화산에 대고 불의 신 불카누스를 숭배하기 위해 성대한 제사를 올리고 있었다. 이쯤 되면 제사에 대한 화산의 대답이 되었으려나. 예정된 재앙을 방관했는지, 재앙의 크기를 오판했는지, 대응하기 역부족임을 알고 있었는지 주민과 관광객들이 화산 폭발 순간까지 도시에 남아 있었던 것이 의아하다. 하긴 21세기에도 이런저런 이유로 해일이나 지진 위험 지역을 떠나지 못하는 주민들이 많은데 1세기라고 다르진 않았을 것 같다.

주민이 없는 도시를 구경하는 것은 흥미롭다. 오히려 기이한 공허함이 있어서 더 재미있는 것 같다. 더이상 사용하지 않는 화덕, 지금과는 한참 다른 화장실, 얼핏 보아선 직관적으로 이해되지 않는 광고판, 너무나 멋들어지게 주변 풍경과 조화를 이루는 신전 기둥들. 과연 이곳에서 진짜 사람이 살았던 것일까, 이곳은 잘 마련된 세트장 아닐까, 의구심이 들게 된다. 그러다가도 부잣집의 부유함을 과시하는 조각상, 놀랍도록 기발하고 정교하고 아름다운 모자이크 장식들을 보면, 사람이라는 동물은 예나 지금이나 어찌나 똑같은지. 알아가면 알아갈수록 고대인과 현대인의 더 유사한 점만 발견하게 되는 것 같다. <혹성탈출>이 픽션이 아닐지도 모른다는 생각이 든다. 2천 년 동안 겨우 과학 기술 한 조각 발전시켰을 따름이구나.

커다란 개 한 마리가 그늘에서 자고 있다. 주민이 없는데 어느 집에서 사는지 모르겠다. 혹은 살아 있는 존재가 맞는지 모르겠다. 폼페이 유적 근처에서 점심을 먹었다. 스파게티 한 접시와 반찬 격으로 이탈리아식 오징어튀김 칼라마리를 먹었다. 나는 튀김재료보다 튀김옷을 좋아해서 치느님도 껍질을 맛있게 먹는 편인데, 이곳 오징어튀김은 튀김옷이라고 할 만한 게 거의 없다. 그래도 재료가 신선하고 좋은지라 바삭거리고 짭조름하니 맛이 좋았다. 밥을 먹고 있을 때 거리 악사가 기타와 탬버린을 치며 <산타루치아>를 부르길래 "브라보!" 외치며 고맙다고 했다. 하지만 악사는 떠나지 않고 연주를 끝까지 마친 뒤 그 탬버린을 뒤집어 동전을 받으러 왔다. 여행자들이 동전을 탬버린에 떨어트릴 때마다 마치 악사의 기분을 대변하듯 쨍쨍 울렸다.

식사를 마치고 포지타노로 향하는 아말피 해안가도를 달렸다. 남부 투어의 하이라이트라 할 만하다. 국내에서는 동해나 서해 해안도로를 타더라도 절경이라고 할 만한 광경은 별로 보지 못한 것 같다. 석양이라든지, 아주 맑은 날이라든지, 시간대를 어찌어찌 잘 맞춰야 가능하다. 어차피 고국이라 감흥이 크지 않은 것일까.

아말피 해안가도는 나폴리, 포지타노, 아말피, 살레르노를 잇는 소렌토 반도까지 50킬로미터에 이른다. 유럽인은 이 길을 '지상에서 천국으로 가는 길(passage from the earth to the heaven)'이라고 한단다. 아름답고, 아름답고, 또 아름다워서, 그리고 아주 사소하게는 절벽을 끼고도는 해변도로가 험난해서라고 한다. 특히 굽이굽이 도는 절벽 길 초장에 산등성이를 뚫은 터널이 있는데 버스가 그 터널을 빠져나오면서 하늘과 바다가 한데 어우러지는 탁 트인 풍경이 펼쳐질 때 승객들은 누가 먼저랄 것도 없이 다 같이 탄성을 내뱉는다.

인터넷 후기에서 백이면 백, 로마에서 출발하는 남부 투어를 갈 때 반드시 버스 운전석을 기준으로 오른쪽에 앉으라고 한다. 버스가 아말피 해변 절벽을 돌 때 바다가 오른쪽으로 나타나기 때문이다. 굳이 왜? 왼쪽 자리에서는 올 때 볼 수 있지 않나? 대답은 '볼 수 없다.'이다. 투어 경로에 따라 다르겠지만, 보통 로마에서 포지타노까지는 버스를 타고 가기 때문에 오른쪽에 있는 바다가 보이는데, 포지타노에서 페리를 타고 살레르노를 거쳐 로마로 복귀할 때는 내륙도로를 타기 때문에 바다가 안 보인다. 게다가 돌아오는 차선은 도로 안쪽이기도 하다. 그러니 아말피 해안가도의 절벽 절경을 보고 싶다면 꼭 로마에서 하행하는 버스의 오른쪽 창가좌석에 앉아야 한다.

오늘은 포지타노에서 정차하여 살레르노까지 페리를 타고 간다. 날이 좋지 않아 페리를 타지 못해야 소렌토에 갈 수 있는데, 오늘은 날이 좋아 소렌토에 정차하지 못했다. 소렌토 역시 부호들의 휴양지로 유명한데, 아기자기한 지중해풍 가옥과 경치를 보지 못해 아쉽다. 소렌토는 원래 근대에 번영하던 해양도시였으나, 내륙 산업화와 도시화로 젊은이들이 모두 고향을 떠나 도시로 이주하는 바람에 노인들밖에 남지 않았다. 이에 도시로 떠난 아들딸들이 안녕하게 고향으로 돌아오라는 기원을 담아 만든 노래가 <돌아오라 소렌토로(Torna a Surriento)>인데, 이 노래 덕분에 도시가 다시 주목받고 없어졌던 우체국도 다시 만들어졌다고 한다. <제주도 푸른 밤>이나 <여수 밤바다>나, 국가만 있는 게 아니라 실제로는 '도시가'가 더 생산성이 좋고 유행이 되는 것 같다. 미지의 전설과 고유한 이야기를 담고 있는 마을이라면 노래든 영화든 이야기의 소재로 제격이다.

버스는 멀미가 날만큼 아말피 해안을 끼고 돈 후에 포지타노 마을 언덕에서 우리를 내려준다. 언덕에 내리면 졸래졸래 계단 소로를 타고 해변까지 내려갈 수 있다. 내려가는 길에는 이탈리아 시골 마을의 다채로운 일상이 품고 있는 아름다움 때문에 감탄한다. 타일로 만든 지번 문패, 멋들어진 쇠창살로 장식한 발코니, 그 위에 옹기종기 모여있는 가지각색의 화분과 이름을 알 듯 말 듯 한 여러 가지 꽃들. 어찌 보면 꽤나 흔하게 접하겠지만 지겨움이라고는 찾아볼 수 없는 코스이다. 가끔 머리가 희끗희끗한 할아버지가 집을 수리하느라 벽에 사다리를 괘여 놓고 올라타는 걸 보면 서커스를 보는 듯 조마조마 주먹을 그러쥔다. 굽이굽이 짧지 않은 골목길이지만 눈 깜짝할 새 해변에 당도했다.

투어 코스의 일부인 페리를 타고 포지타노부터 살레르노 항까지 해상로로 이동한다. 뱃길에서 보이는 절벽의 장관과 그 절벽에 게딱지처럼 붙어있는 작은 주택들을 보면서 감상에 젖어 든다. 어떤 고급가옥들은 육상으로 접근할 수 있는 경로가 아예 없는 것처럼 보였다. 호텔인지 개인주택인지 모르겠지만 보트가 있어야만 출입할 수 있는 집이다. 외진 곳에 사는 불편함을 감수할 정도 혹은 그런 불편함을 느끼지 않을 정도의 여유가 있는 집인 게 틀림없다.

나는 언제 이런 곳에 별장 사고 언제 요트 사서 올 수 있나, 저 집은 얼마짜리일까, 저 호텔은 얼마짜리일까, 솔직히 이런 질투는 들지 않았다. 휴가에 있어서 뚜렷한 취향이 없는 나는 그냥 집구석에서 선풍기 쐬면서 밀린 웹툰들과 드라마 보는 게 최고다. 오늘처럼 멀리 떠나온 여행도 휴양보다는 모험, 탐험, 발견의 지분이 크다.

포지타노는 원래 전 세계에서 몇 안 되는 부호들의 숨겨진 휴양지였으나, 브래드 피트가 앤젤리나 졸리를 줄기차게 데려와 구애하다가 파파라치에게 걸려서 들통난 곳이다. 연예인 걱정이 세상 제일 쓸데없다지만, 파파라치로부터 숨어 다니는 삶보다는 무플뿐인 인터넷 게시글 같은 나의 삶이 쏠쏠하게 좋은 것 같다.

엄밀히 말하면 서민인 나로서는 지금 내 수준의 삶에 만족할 뿐이고, 부자들은 자신들의 삶에서 누리는 또 다른 만족감이 있겠지. 헛헛한 마음을 위로하며 바다 너머로 지는 해를 본다. 지중해의 저녁놀은 어떤 사정을 지닌 어떤 이의 감성이라도 자극한다. 하루가 아무리 어떻게 저떻게 지나갔다 하더라도 이런 노을을 보면 뚜렷한 대상이 없는 향수와 회한에 잠긴다.

살레르노에 도착해서 저녁식사로 피자를 먹었다. 원형피자가 아니라 조각피자였는데, 역시 나폴리(인근) 피자라 그런지 맛이 최고였다. 고르곤졸라 비스무리한 것과 마르게리타 각각 한 조각씩 먹었다. 이태원 '피자리움'을 생각나게 하는 맛이었다. 피자의 본고장에 와서 정통피자를 먹으면서 한국 구멍가게 피자가 생각나다니, 한국은 정말 편강탕 같은 나라이다.

다시 버스를 타고 로마로의 복귀 대장정을 시작한다. 로마에 도착하면 약 11시가 될 것이다. 오전 6시부터 오후 11시까지 17시간, 멀고 먼 길을 굽이굽이 내려와서 다시 굽이굽이 올라간다. 가이드께서 말씀하시기를 로마에서 출발하는 한국인들의 남부투어는 전 세계에서 가장 일찍 시작하고 가장 늦게 끝나는 현지투어란다. 그럼에도 불구하고 그 이른 시각조차 못 참고 새벽 5시에 나와서 버스 문 열어달라는 한국인이 있다고 한다. 한국인 투어업체가 이런 상품 기획안을 들고 이탈리아 버스업체에 대절을 협상하러 갔을 때, 버스업체에서는 상품가치가 전혀 없는 안이라고 욕했다고 한다. 일정 주기로 버스기사에게 휴식기를 주도록 규정한 이탈리아 법은 둘째 치고, 불가능한 코스를 구상했다는 것이다. 세계 어디서 누가 이렇게 새벽부터 자정까지 오로지 여행을 위해 몸뚱이를 지치도록 굴려가며 돌아다니겠냐고 비웃었단다. 지금 이렇게 한국인의 광기를 반영한 투어가 날개 돋친 듯 팔려나가는 현실을 지켜보는 버스업체의 심정이 궁금하다.

DAY 3 바티칸 시국 투어

# 역사는 선형인가 환형인가

어제는 남부투어를 떠났다가 자정이 다 돼서야 민박집에 복귀했다. 오늘도 이른 아침부터 바티칸 투어가 있다. 8시에 바티칸시국에 가까운 지하철역 치프로(Cipro/Musei Vaticani)에서 투어에 합류했다. 지하철역에 사람이 별로 없었다. 역시 박물관 견학에 8시는 너무 이른 시각이다, 고 생각했던 것은 경기도 오산이었다. 앞선 팀은 바티칸 장벽에서 9시 개관을 대기하고 있었다. 한국인의 광기는 한겨울 바티칸의 성벽을 달군다. 우리 팀도 약 50분간 장벽에서 대기하면서 가이드의 설명을 들었다.

바티칸은 엄밀히 말하면 '바티카누스 언덕'이라는 지

역을 칭하는 지명일 뿐이고 공식적인 국가명은 '성좌(Sancta Sedes, the Holy See)'로서, 국교는 가톨릭, 수장은 가톨릭 교황이다. 바티칸의 위치는 예수의 제자이자 초대 교황인 성 베드로가 순교한 장소라는 것으로 유명하고, 베드로 대성당의 발다키노(대천개, 大天蓋, Baldacchino) 밑에 베드로의 실제 처형 장소가 있다고 한다. 거기서 베드로의 뼈를 발견했단다. 사실일까. 2천 년도 더 전에 죽은 사람의 뼈를 발견하고 그 뼈의 주인이 누구인지 분석하는 것이 가능할까. 천 조각에 묻은 얼굴의 형상을 보존하고 그 땀을 분석해서 주인이 누구인지 밝혀내는 것이 가능할까. 유골, 체액, 성배, 성궤, 창. 기독교인들은 진심으로 사실이라 믿는 것일까. 신앙은 믿음의 영역이라 과학과 이성을 적용하기 힘들다고 하던데. 고대의 유물을 발견하고자 노력하고 또 그 성과를 인용하는 것은 논리를 구축하기 위한 작업이 아닌가. 믿음을 공고히 하기 위해 과학을 적용하는 것 아닌가. 유물은 모든 종류의 과학과 공학과 인문학이 통섭하는 현대의 검증을 견뎌낸 것인가. 과연 신뢰성이 있는가. 혹은 그 신뢰성을 묻지 말아야 하는가. 나는 종교생활을 하고 있지만, 여전히 혼란스러운 부분이 있다.

개찰구를 통과해서 가장 먼저 피나코테카(회화관, Pinacoteca)에 이르렀다. 유수 천재들의 유수의 명작들. 작품의 우열을 가리는 것은 과연 보편적인 미의 기준일까, 작품을 탄생시킨 역사나 배경일까, 유행의 요행일까. 전문가들은 수많은 사람들의 눈과 취향이 모두 다르기 때문에 교과서에서 가르쳐주는 대로 감상하지 말고 자기가 좋아하는 작품을 깊게 감상하면 된다고 하지만, 내가 아름답다고 생각하는 작품보다 더 좋은 비평, 더 비싼 값을 받는 작품이 있다고 하면 어쩐지 시무룩해지기 마련이다. 난해한 현대미술이 천문학적인 가격에 거래되는 현실과 느끼는 대로 이해하면 된다고 말하는 전문가의 격려를 조합해 보면, '어디 그런 저렴한 미적 감각으로 우리 미술 장르에 범접하느냐.'라는 결론이 난다. 볼 줄 모르는 사람은 물러나 있으라는 건가. 비위에 영 맞지 않는다.

귀도 레니의 그림은 포근하다. <성 마태오와 천사>에서 천사는 어린이의 모습이다. '수태고지' 작품들에서 성모마리아에게 그리스도 잉태를 알리는 천사 가브리엘은 위엄 있고 장엄한 모습으로 지엄한 신명을 전하는 데 반해, 귀도 레니의 그림에서 늙은 마태오에게

신의 말씀을 전하는 천사는 유아의 모습이다. 두 손을 모아 손가락을 만지작 만지작거리고 작은 입으로는 조곤조곤 속삭인다. 배경을 모르고 보면 여느 할아버지와 손자로밖에 보이지 않는다. 작가의 벽을 뚫고 저술을 하는 할아비와 그 옆에서 무언가를 조르는 손자이다.

카라바조의 그림은 검고 깊다. <십자가에서 내려지는 그리스도>는 그림 하단에 석관이 있어 그리스도를 매장하는 상황을 묘사한 것처럼 보이지만, 사실 그리스도를 십자가에서 내리는 상황이다. 입체적인 석관은 캔버스를 뚫고 나올 것처럼 날카롭고, 인물들은 혁신적이고 도전적으로 관객들을 응시하고 있다. 자신들의 비밀스러운 의식을 훔쳐보는 우리를 경계하는 듯 말이다. 축 늘어진 그리스도의 손가락은 때와 먼지로 지저분하다. 그리스도를 내리는 사람들은 흡사 왕초가 이끄는 거지 집단이라 해도 믿을 정도이다. 그중 초췌하고 볼품없는 할머니가 성모마리아다. 카라바조는 그리스도와 성모마리아를 두고 일상에서 접하는 필부필부의 모습을 모델로 삼았다. 카라바조의 그림을 최초로 접한 사람들은 그리스도의 성체를 더럽게 묘사한 것을 두고 심하게 비난했다. 늙은 성모마리아, 더러운 그리스도의 성체,

인간의 모습을 한 성 모자(聖母子)를, 레오나르도나 미켈란젤로, 라파엘로는 상상도 못 했을 것이다. 카라바조는 여러 번의 폭행, 살인으로 투옥된 적이 있으며, 결국 언제 죽었는지 확인도 되지 않고 해안가에 떠내려 온 시체를 보고 사망한 것을 알았을 정도로 파란만장한 삶을 살았다고 한다.

작가의 일생은 작품에 반영된다. 거친 삶은 대담한 화풍이나 문체로, 안온한 삶은 부드러운 분위기로 나타난다. 폭풍 속에서 돛대에 몸을 묶고 바다를 그린 윌리엄 터너의 그림은 질풍노도와 같고, 일상과 머물던 마을의 풍경을 사랑하던 존 컨스터블의 그림은 다분히 목가적이다. 수많은 유명인사와 친분을 과시했던 구스타브 클림트는 관객을 응시하는 듯 인물의 도도하고 도발적인 모습을 그렸고, 여성을 비롯한 거의 모든 인간과 친분이 없었던 에드가르 드가의 작품들에서 여성들은 등을 지거나 다른 곳을 바라보고 있다. 전쟁 같은 삶을 살았던 어니스트 헤밍웨이의 글은 표현 그대로 '하드보일드'하다. 작품과 그 배경을 굳이 연관시킬 필요는 없다고 하지만, 작가의 일생을 상상하며 작품을 감상하는 것은 감상의 주요한 재미이다.

그 와중에 곱고 유려한 작품의 이면에서 고통스러운 생애와 불우한 시대를 이겨낸 작가를 발견하는 것은 실로 감동적이고 경이로운 일이다. 암 수술을 받고 관절염으로 손가락이 굽어서도, 단순하고 천진난만하게 행복감을 주는 종이 오리기로 그림을 창작한 앙리 마티스가 있다. 공산주의 혁명과 나치 독일을 피해 망명을 다니면서도 찬란하고 신비로운 색채로 시골마을과 어여쁜 커플, 신의 이야기를 그린 샤갈이 있다. 일제 치하에서 '하늘과 바람과 별과 시'를 쓴 윤동주도 있다.

회화관 관람을 마치고 점심을 먹었다. 가이드 말씀도 그렇고 인터넷 후기도 그렇고 바티칸 박물관의 카페테리아는 세계적으로 악명이 높다. 음식의 맛, 가성비 등 모든 면에서 타의 추종을 불허한다. 사람들은 도시락 싸가기를 강력히 추천한다. 하지만 가이드께서는 한 마디 조언을 남기셨다. '일생에 단 한 번이 될지도 모르는 오늘, 지구에서 가장 성스러운 곳에서, 기필코 기억에 남을만한 음식을 먹을 수 있는 기회가 주어진다면 그 또한 얼마나 값어치 있는 식사가 될까요.' 나는 기꺼이 그 기회를 선택하였다. 7.5유로를 내기에는 아까운, 보잘것없는 소시지가 퍽퍽하고 푸석거리는 빵에 대충 끼워진 핫도그 세트를 먹으며 그래도 플라스틱 모형처럼 생긴 햄버거 세트(8.5유로)는 안 시켜서 다행이라고 생각했다.

빠르게 점심을 먹고 짬을 이용해서 바티칸 관람의 별미인 '성소에서 나에게 엽서 보내기' 시간을 갖는다. 카페테리아 근처에 바티칸 시국 우체국이 있다. 이곳에서 해외로 우편을 발송할 수 있다. 푸른 하늘을 배경으로 베드로 대성당 쿠폴라가 멋들어지게 뽐내는 0.9유로짜리 엽서를 고르고, 눈물을 훔치며 모나미 253보다 좋지 않은 3.98유로짜리 펜을 사서 나 자신에게 '너를 믿어. 앞으로의 너를 응원할게. 파이팅.'이라는 등 시답잖은 편지를 썼다. 해외우편을 담당하는 정중앙 창구로 가서 2유로짜리 우표를 사고 침을 발라 엽서에 붙여 우체통에 넣으면서 인증숏을 남긴다. 엽서가 바티칸의 영험한 기운을 싣고 집에 도착하기를 바란다.

투어 팀이 다시 집결해서 관람을 계속했다. 거대한 솔방울 동상이 있는 솔방울 정원을 지나 벨베데레 정원에 이른다. 남성미의 기준인 <벨베데레의 아폴론>의 상체 대 하체 길이 비율은 황금비율인 1 대 1.618이다. 황금비율은 인정해도, 현대의 우락부락한 남성미를 기준으로 볼 때 근육이 조금 부족한 것 아닌가 하는 생각이 들기도 하는데, 어찌 보면 여학생들이 좋아하는 남자 아이돌의 체형을 생각해 볼 때 소년미의 효시라고 할 만도 하다. <벨베데레의 아폴론>을 언급할 때 같이 등장하는 것이 <밀로의 비너스>이고, 무산되기는 했으나 나폴레옹도 두 조각상을 같은 곳에 전시해 두고 싶어 했지만, 막상 두 조각을 같이 떠올리면 위화감이 든다. <벨베데레의 아폴론>은 소년미를 풍기는 데 비해, <밀로의 비너스>는 농밀한 요염함의 대명사이기 때문이다. 소년과 숙녀의 조합이라, 어쩐지 숙녀를 말리고 싶은 조합이다.

한때 근육질의 마초 같은 남자를 멋있게 보는 분위기가 만연했는데, 요새 아이돌 문화에서는 유연하고 중성적인 스타일이 주요한 매력 포인트로 부각된다. 야리야리한 몸매에 하늘하늘한 옷을 입은 미소년들이 큰 인기이다. 어찌 보면, 고대 그리스에서도 미소년에 대한 예찬이 넘쳤고, 신라시대에도 소년 군사단체를 '꽃다운 사내(화랑)'라고 부르는 등 과거에도 소년들에게서 심미적인 매력을 찾으려 했다는 사실을 보면 역사는 과연 선형(線形)이 아니라 환형(環形) 같은 모양이 아닐까 싶다. 과거가 쌓이고 퇴적되고 그 위로 현재와 미래가 새롭게 일어서는 것이 아니라, 과거가 돌고 돌아 어느 지점에서 현재와 만나고 또 미래가 거기에 중첩되는 원이나 스프링 아닐까 생각이 된다. 혹은 예나 지금이나 인류가 수립한 미적 기준이 꽤 일관된다는 증거일지 모르겠다. 울퉁불퉁한 것보다는 매끈한 것, 짧고 굵은 것보다는 길고 가는 것을 좋아하는 게 인간의 본능인가 싶다.

아폴론 옆에는 <라오콘 군상>이 있다. 트로이 전쟁 중 신의 미움을 산 사제 라오콘이 두 아들과 함께 물뱀에 휘감겨 빠져나오려고 안간힘을 쓰지만 결국 죽게 되는 생생한 현장이다. 나는 어떤 사람이나 상황에 깊이 공감하는 편은 아니지만, 무엇인가 고통스럽게 죽는 꼴을 상상할라치면 몸에 기력이 빠져나가는 느낌이 든다. 가끔 어떤 사건의 사상자 기사를 접할 때가 그렇다. 무심하게 활자로 써진 사상자이지만, 한 명 한 명의 상황을 상상해 보면 손발에서 힘이 빠지고 피가 멈추는 느낌이 든다. 고문과 학살, 전쟁과 기아, 배의 침몰, 사고 난 자동차의 폭발, 건물의 붕괴, 군대의 가혹행위. 기사에서 묘사한 시간대별 정황을 하나씩 읽으면서 그 상황에 몰입하다 보면 얼마간은 극심한 피로를 이기지 못하고 멍해질 때가 많다. 때로는 부러 그러한 이야기를 외면하려고 한다. 죽음이 나에게 스며드는 것 같아서 힘이 빠지는 것일까. 생물의 본능에서 비롯한 거부감 때문일까. 나이가 들면서 죽음을 자연스럽게 받아들이는 시기가 온다고 하는데 언제쯤인지 궁금하다. 죽기 싫거나 두렵지는 않지만, 죽음에 이르는 과정이 두려운 것 같다.

벨베데레 정원을 통과하면 피오 클레멘티노 조각전시관에 들어선다. 이곳 뮤즈의 방 정중앙에 <벨베데레의 토르소>가 위용을 자랑하고, 관람객들은 그의 앞뒤 양옆을 둘러싸고 몸매를 관람한다. 사실 몸매랄 것은 없다. 조각상은 목, 팔, 다리에서 잘려서 '토르소'의 뜻 그대로 몸통밖에 남아 있지 않다. 그런데 고작 남아있는 그 몸통이 모든 신체를 다 담고 있다. 몸통 자체의 균형이나 근육의 조화는 말할 것 없이 아름답고, 잃어버린 팔과 다리가 마치 그대로 붙어있는 것처럼 그려진다. 묵직한 돌덩어리가 신화 속 인물처럼 섬세한 상상을 자극한다. 과거에는 모델이 헤라클레스일 것으로 추측했으나, 근래에는 양 떼를 적군으로 착각하고 몰살시킨 그리스의 아이아스 텔라모니오스 장군일 것이라

한다. 잘못을 저지른 수치심을 이기지 못하고 자살을 고민하는 순간을 담았단다. 실수 때문에 자살을 고민한다는 단순한 요약은 이해 불가하니, 알려지지 않은 복잡다단한 뒷이야기가 숨어있을 것이라 짐작한다.

<라오콘 군상>이나 <벨베데레의 토르소>나, 기술의 수준과 구도, 균형미, 세부묘사 면에서 현대의 어느 작품에 견주어도 뒤처지지 않는다. 저 위대한 <피에타>에 비교해도 <라오콘 군상>의 못한 점이 절대 없는 것 같다. 물론 이는 지금 시대도 마찬가지다. 현대 기술로도 미켈란젤로나 베르니니만큼 조각하기가 쉽지는 않다고 한다. 중국 진시황릉의 병마용은 애초 고대의 칠감으로 색이 칠해져 있었는데, 발굴할 때 색깔이 모두 퇴색되어 버렸고 복구하는 방법을 몰라 그대로 놔두고 있다고 한다. 우주선을 만들고 인공지능을 키우는 기술을 제외하고, 지금 인류의 능력이 과거보다 더 나은 것이 있기는 할까. 문학성과 예술성은 감성의 영역이라 우열을 가리기가 불가능하다 해도, 머릿속에 든 것을 표현하고 묘사하는 기술조차 현대가 과거보다 발전했다고 단언하지는 못할 것 같다. 다시 생각하지만 역시 역사는 선형이 아니라 환형인 것 같다.

DAY 3 바티칸 시국 투어

# 인생은 라파엘로처럼, 수명은 빼고

<라파엘로의 방>에 들어섰다. 라파엘로 산치오는 4월 6일(1483년) 출생하여 4월 6일(1520년) 사망했다. 특이하게 생몰 일이 똑같은데, 실제로 그런지 혹은 비범한 이미지를 부여하기 위하여 기록의 오류를 허용한 건지 모르겠다. 문화도시 우르비노에서 궁정화가의 아들로 태어나 최고의 공방에서 도제 수업을 받고 나라 제일의 도시로 유학 갔다. 타고난 천재였는지는 모르겠지만, 확실히 천재로 길러졌다. 피렌체로 유학 가서는 당시 한창 주가를 올리던 미켈란젤로에게서 인체해부학에 대한 지식을, 레오나르도 다빈치에게서 소실점, 광원, 스푸마토 기법 등을 익혔다. 마주 앉아 배운 것

은 아니고, 어깨너머로 흘끔흘끔 가져왔을 것이다. 거장의 어깨에 올라서서 스스로 재능을 발전시킨 라파엘로는 치밀하고 정교하면서도 주제 전달력이 뛰어난 완성도 높은 작품을 창작했다. 특기는 '성 모자(聖母子)'이다. 인자하고 참한 전형적인 자모의 형상을 한 성모마리아와 순수하면서도 의젓한 예수의 모습은 후대 성 모자상의 정석이 되었다.

명성을 높인 라파엘로는 로마 교황청에 입성한다. 뛰어난 실력, 조직생활에 잘 맞는 온화한 성격, 수려한 외모로 공직생활의 앞길은 창창했고 여생은 보장된 것이나 다름없었다. 라파엘로도 역시나 미소년이었나 보다. 부럽다. 교황의 총애를 받으면서 교황의 서재에 그의 인생 아니, 전 인류의 역작이라 할 만한 <아테네 학당>을 완성했다. 베드로 대성당의 개축도 담당했다. 당시 교황 궁전, 현 바티칸 박물관의 <라파엘로의 방>도 완성했다. 매일 안료와 돌가루 속에서 살았다. 로마는 호흡기가 좋지 않은 사람에게 절대 좋지 않은 장소였다. 라파엘로는 가장 높은 지위에 올라서 가장 활발한 작업을 해야 할 서른일곱에, 가장 안타깝게 죽었다. 그는 미완성 유작 <그리스도의 변용> 앞에서 죽었다.

라파엘로는 별을 보러 매일 가던 판테온에 묻혔다.

여느 천재가 겪는 일이듯, 라파엘로 천재성에 대하여 수 세기 동안 의견이 분분했다. 미켈란젤로는 라파엘로가 '선천적인 천재가 아니라 노력형'이라고 폄하 아닌 폄하를 했다. 벨라스케스는 그가 '진부하고 구식'이라고 했다. 독일 미술계는 그의 그림이 '지극히 평범'하다고 했다. 라파엘전파(Pre Raphaellite)는 대놓고 '라파엘로는 별로다. 라파엘로 이전으로 돌아가자'고 했다. 반대로, 베르니니는 후배작가들에게 '라파엘로 발뒤꿈치에라도 미치리라는 생각을 버리라'라고 했다. 조르지오 바사리는 '라파엘로가 미켈란젤로의 유일한 라이벌'이라고 했다. 조슈아 레이놀즈는 라파엘로와 미켈란젤로 중 '더 높은 예술의 질에 도달한 것은 라파엘로'라고 했다. 누가 과소평가이고, 누가 과대평가일까.

지금은 어떨까. 논란의 여지가 있을까. 누구보다도 바티칸이 인정한 바티칸의 아이돌이다. 입장권에 <아테네 학당>을 새겨 넣었다. 이 정도면 답이 되었으려나. 그에 대한 박한 평가에는 윤택하고 풍요로운 환경에서 배양되었던 천재성에 대한 일종의 질투심이 깃들어 있는 것은 아닐까. 누구라도 그처럼 배웠다면 그처럼 그릴 수 있었을까. 라파엘로가 인간으로서 아무 특징 없는 존재였다면 그의 작품에 대한 평가가 또 달라지지 않았을까. 어쨌든 그가 그린 초상화를 보면, 피부와 직물소재, 광원에 대한 묘사가 더할 나위 없이 완벽하다. 라파엘로는 따뜻하고 명랑한 이미지 그 자체이고, '빛의 화가' 그 자체이다.

레오나르도 다빈치, 미켈란젤로 부오나로티, 라파엘로 산치오 세 천재 간의 사이가 어떠했는지 명확하게 밝혀진 바는 없다. 누구에게나 퉁명스럽고 고집 세고 독불장군이었던 미켈란젤로가 나머지 두 명과도 잘 지내지 못했을 것이라는 예상이 지배적인 가운데, 라파엘로는 다빈치를 추종했고 미켈란젤로 역시도 능력 면에서는 존경했을 것이라고 한다. 미켈란젤로와 비슷한 내 성격으로 예측해 보건대, 다빈치 같은 거장은 운이 좋았을 뿐이라고 합리화하게 되고, 라파엘로 같은 아이돌은 본능적으로 적대감이 들었을 것 같다. 미켈란젤로와 라파엘로가 동시에 바티칸 베드로 대성당 작업에 투입되었을 때, 미켈란젤로는 라파엘로에게 적대의식을 느꼈다. 당시 대성당 건축 총책임자였던 브라만테와 동향인 라파엘로가 바티칸에 입성하여 자신과 경쟁구도가 형성된 것이 두 인간의 협잡 모략이라고 생각했을 것이다. 미켈란젤로는 자신과는 정반대로 우수한 외모에 누구에게나 친절하고 어디에서나 좋은 평판을 듣는 라파엘로를 두고, 사실은 뒤로 호박씨 까고 잘난 척하고 돈 걱정 안 해본 철부지인 데다가 남의 기술만 베끼는 얌체라고 생각했을 것이다. 어찌 되었든 라파엘로는 <라파엘로의 방>을 작업하고, 미켈란젤로는 시스티나 성당의 천장화를 작업한다. 미켈란젤로가 <천지창조> 작업 당시 '누구도 작품을 봐서는 안 된다'는 조건을 건 것은 아마 라파엘로에 대한 견제가 작용했을 것이다. 그러나 세상일 모른다고 미켈란젤로가 작업을 쉬던 기회에 라파엘로는 천지창조를 봐 버렸다. 라파엘로는 미켈란젤로가 그린 인체에 매료되어 자신의 작품에도 그 화풍을 덧입힌다.

일설에는 라파엘로가 다빈치를 만나기 위해 피렌체에 갔으나 우연히 다빈치가 미켈란젤로와의 경쟁으로 피렌체를 떠나버렸고, 라파엘로도 이 때문에 미켈란젤로에게 악감정을 품고 있었다고 한다. 사실인지는 모르겠다. 오히려 라파엘로가 <아테네 학당>에 헤라클리투스의 모델로 고뇌에 찬 미켈란젤로를 그린 것으로 보아,

미켈란젤로를 존경하거나 적어도 실력을 존중했을 것이라는 예상이 든다. 누가 뭐래도 르네상스 세 대가를 한 작품에 넣음으로써, '3대장'의 정의를 굳힌 것은 라파엘로이다. 다빈치와 미켈란젤로 사이에 경쟁과 대립이 있었을지는 몰라도, 라파엘로는 화합의 장본인이었다. 역시나 처신을 잘하는 것인지, 실제 천성이 착한 것인지 라파엘로는 후대에 자신을 변호하기 위한 알리바이를 남겨두었다. <아테네 학당>을 보면, 넉살 좋게 베끼는 것도 능력이라고 설득할 듯한 라파엘로 특유의 대담하고 명랑한 천성을 보여주면서, 그러니까 자신도 능력 있는 화가라고 주장하는 재치를 보여주는 인물이 있다. 계단 한쪽에서 골똘히 연구에 몰입한 피타고라스의 어깨너머로 흘끗 훔쳐보면서 자기 공책에 베껴 적고 있는 이븐 루시드이다.

한편 <라파엘로의 방> 중 첫 번째인 '콘스탄티누스의 방'은 깜짝 놀랄만한 곳이었다. 기독교의 득세와 이교도의 종말을 주제로 그려진 천장화의 그림은 이랬다. 고풍스럽게 장식되어 텅 비어있는 궁전의 홀 한가운데 석상이 기단부에서 떨어져 산산조각나 있다. 이교도를 상징하는 석상이 추락하여 완전히 파괴되어 버린 것이다. 기독교로 꾸며진 방에서 이교도인 석상은 설 자리가 없다는 뜻일 게다. 깨끗하고 아름다운 방과 부서진 석상이 주는 대조적 이미지는 충격적이다. 몇 백 년 전의 사람이 이렇게나 참신하고 인상적인 상징 묘사를 할 수 있다니. 요즘 시대 어느 아이돌 그룹의 뮤직비디오에 나와도 이상하지 않을 정도로 놀랍도록 기이하면서 참신했다.

DAY 3 바티칸 시국 투어

# 신께 바치는 보석함, 시스티나

근현대관을 끝으로 박물관 구역은 끝이다. 시스티나 성당에 진입했다. 이제부터는 미켈란젤로의 영역이다.

시스티나 성당은 사진 촬영 금지이다. 분위기도 매우 특이하다. 백 평이 넘는 면적에 5층 정도 되는 강당 같은 공간인데, 건물 벽을 따라 의자가 쭉 늘어서 있다. 다리 아픈 사람들, 고개 아픈 사람들 앉아서 보라는 것이다. 거기 앉아서 고개를 들면 천장에 그림이 있다. 그 강당 같은 공간을 사람들이 가득 메우고 있다. 바닷물처럼 느릿느릿 여기저기 천천히 움직이며 관람한다. 교도소 체육시간에 다 같이 나와 마당을 도는 듯한 느낌이다. 침묵이 내려앉은 가운데 가끔 웅성거리는 소리가 커지면 안내원이 마이크에 대고 경고하는 소리가 메아리쳐 울려 퍼진다. "실렌치오(Silenzio)! 사일런스(Silence)! 노 포토 플리스(No photo, please)!"

시스티나 성당으로 들어서는 입구는 성당 본당으로 치면 제단 쪽이다. 그 제단 뒷벽에 <최후의 심판>이 있다. 그리고 성당의 천장에는 천장화 <천지창조>가 펼쳐진다. 시스티나 성당에 입장하여 <천지창조>를 막 보고 눈물을 쏟았다는 사람이 있는데, 나의 감수성 수준에서 그건 좀 과장인 것 같다. 감동적이지 않다는 것이 아니라, 시스티나 입장을 위한 사전 작업에 비해 위압감은 크지 않다는 말이다.

일단 성당에 입장하기 전에 가이드께서 수많은 일화와 알려지지 않은 이야기를 통해 미켈란젤로의 위대한 생애와 천재적인 예술성, 그의 완벽주의자 면모, <천지창조>의 창작 뒤에 숨겨진 고통스러운 노력 등을 설명해 주신다. 천장화 작업이 너무 고되 경추가 휘고 다리가 부어 신발을 벗을 수 없었다는 설명을 듣고 있노라면 메마른 가슴에 감동과 은총이 단비처럼 스며들고, 그런 공간에 들어설 수 있다는 축복받은 감정이 충만한 상태로 입장한다. 그러나 성당은 인공조명이 없어

어두침침하고, 벽 높은 곳에 난 창들을 통해 들어오는 자연광은 희미하다. 고개를 들면 희끄무레하고 얼룩덜룩한 저게 그 아까 설명으로 익힌 천장화 그림인가 어안이 벙벙하다. 그러다 정신 차리고 차분히 하나씩 들여다보면 아까 배운 내용이 있구나 하면서 익숙해진다. 그리고 전체적으로 조망하면서 대단하다, 엄청나다, 감탄하게 된다. 하지만 개인적인 결론으로는, 어떤 예술작품도 작가의 인생만큼 아름답고 감동적이지는 않다는 것이다. 나는 미켈란젤로의 인생에 대한 글을 읽고 설명을 들었을 때 더 큰 감동을 느꼈다. <천지창조>니 <최후의 심판>이니, 예술작품들은 그저 위대한 예술가가 자신의 존재를 증명하기 위하여 세상에 남긴 증거에 지나지 않아 보였다.

<천지창조>는 창세기 중 아홉 장면을 묘사하고 있다. 빛과 어둠, 그다음에 해, 달, 지구, 그다음에 땅과 물, 그리고 아담과 이브의 창조, 선악과의 유혹과 추방, 대홍수와 노아의 생애 등에 대한 묘사이다. 사람들에게 익히 알려진 하느님과 아담의 손가락이 닿을 듯 말 듯한 '아담의 창조' 장면은 천장화의 순서대로 보면 4번째에 있다. 미묘한 긴장감을 증폭시키며 손가락끼리 닿

는 연출을 기획한 천재적인 아이디어는 역시 미켈란젤로라는 찬사가 절로 나오게 하면서, 깊은 밤중 보는 사람 아무도 없을 때 저 두 손가락이 실제로는 맞닿게 되는 것 아닐까 하는 공상을 하게 만든다. 바사리는 "아담의 아름다움과 자세, 윤곽은 유한한 인간의 그림이나 붓질에 의해 만들어진 것이라기보다는, 최초이자 최고의 창조자에 의해 형성된 것처럼 보인다."라고 평했다. 이 장면에서 한때 또 이목을 끌었던 점은 하느님이 천사들을 이끌고 망토를 휘날리는 모습이 인간의 뇌와 유사한 형상을 하고 있다는 것이었다. 망토의 끝자락과 일부분이 대뇌와 연수 등 뇌의 각 부분의 위치와 일치한다는 설이 있으나, 과연 사실인지 혹은 미켈란젤로가 의도한 것인지는 알 수 없는 일이다.

다만 철저한 계획형 인간인 나로서 미켈란젤로를 다시금 존경하게 만들었던 사실은 그가 애초부터 이 중요한 천장화의 최종적인 완성도를 염두에 두고, 작업 순서를 창세기상 시간이 흘러가는 순서에 맞추지 않았다는 것이다. 미켈란젤로는 처음에 천장에 프레스코화를 그리는 작업에 대해 충분히 자신감이 없었고, 그래서 경험이 쌓여 완숙한 노련미가 생겼을 때 가장 결정적이고 중요한 장면을 그리고 싶었던 것 같다. 그 결과 먼저 창세기에서 상대적으로 뒷부분의 이야기인 대홍수와 노아의 만취 부분을 그리고, 그다음에 선악과의 유혹, 이브의 창조, 그리고 아담의 창조, 이후 빛과 어둠의 창조 순으로 그려나갔다. 그 결과 처음 그렸던 노아의 생애 부분에서는 수많은 사람들이 복잡다단하게 모여있는 빽빽한 그림으로 채워진 데 반해, 창세기상 앞부분인 아담의 창조와 세상의 창조는 충분한 여백 안에 압도적인 하느님의 이미지가 강조되었다. 축약과 강조의 효과는 극적인 연출을 통해 감동을 고조시킨다. 천장화는 시스티나 성당에 들어서는 입구에서부터 시간 순서대로 진행되기 때문에 입구 반대편 끝부분에서 보면 제단 벽화인 <최후의 심판>과 <천지창조>의 앞부분 '세상의 창조'가 한눈에 조망되는 것이 마치 신의 눈으로 세상의 시작과 끝을 보고 있는 듯한 느낌을 들게 만든다. 시스티나 성당을 하늘에서 내려다보면 직육면체 상자 안쪽에 빼곡히 하느님을 찬양하는 그림으로 가득 차 있는 형상일진대, 이는 분명 하느님께 바치는 보석함을 만들 궁리에서 나온 미켈란젤로의 의도였을 것이다.

한편 성당으로 들어가는 입구 벽면에 <최후의 심판>

이 있고 이 그림은 가로세로 10미터씩을 가뿐히 넘기 때문에 전체 그림을 보려면 입구 반대편 출구까지 가야만 가능하다. 삶의 마지막에 가서야 인류의 마지막을 관람할 수 있다는 은유일까. <최후의 심판>에는 300여 명이 넘는 존재들이 등장한다. 지옥으로 끌려가는 인간들은 당연히 고통 속에 울부짖는다고 쳐도, 예수의 곁을 따라 천국으로 가는 인간들에게서도 함박웃음 또는 환희의 파안대소는 보이지 않는다. 미켈란젤로의 인간적 한계이다.

미켈란젤로라는 인간은 살면서 호탕하게 웃은 적이 한 번이나 있을까 싶다. 자화상은 물론이고 어느 그림에서도 조소는커녕 눈살만 찌푸리고 있다. 성질머리 더러운 노인네, 부유했는지 가난했는지는 모르겠지만 외모만 놓고 보면 스크루지의 시현이라고 할 만하다. 인류의 최후라니 크게 웃을 일은 아니겠지만 기쁨 하나 없는 천국행이라니 무슨 의미인가. 하지만 우리가 살고 있는 지금 이 세상이 최후의 심판과 다를 게 없다. 돈과 일에 허덕이는 삶, 오늘 쉬면 내일을, 지금 쉬면 노년을 걱정해야 하는 생활, 돈이 없으면 없는 대로 많으면 많은 대로 행복하지 않은 세태. 여기에 천국도 있고 지옥도 있다. <콘스탄틴>에서 지옥으로 들어가기 위해서는 욕조 혹은 세숫대야 정도의 물만이 필요하다. 잠시 눈을 감았다 뜨면 지옥에 당도할 수 있다. 귀신과 악마들은 우리와 함께 살고 있다. 나는 영화의 묘사가 은유가 아니라 명징하게 새겨진 철칙 같다. 미켈란젤로도 이 생각에 동의할 것이다.

시스티나 성당 출구로 나오면 베드로 대성당으로 가는 지름길로 연결해 준다. 과거에는 개인 관람자도 이 지름길로 보내주었다고 하는데 언젠가부터는 투어를 통한 단체 관람자만 통과시켜 준다고 한다. 만약 바티칸 박물관을 보지 않고 베드로 대성당만 관람하고 싶다면, 베드로 광장을 빙 도는 줄을 서서 입장해야 한다. 체력과 시간의 효율성을 따지는 여행자라면 바티칸 박물관 투어를 통해 베드로 대성당에 입장하는 것이 현명하다는 것을 알 것이다.

베드로 대성당은 공식적으로 현재 그리고 미래에도 가장 큰 로마기독교 교회당이다. 이는 교황청 법령에 따른 규칙이다. 베드로 대성당은 쉴 새 없는 압도의 연속이다. 거대한 크기에 한 번, 장엄한 공간을 채우고 있는 숨 막히는 예술작품들의 향연에 한 번, 그 작품들이 모작이 아닌 진품이라는 사실에 한 번씩 놀란다. 성당의 그림들의 모자이크이기 때문에 사진 촬영도 자유롭다.

입구에 들어서면 관람객들의 분위기를 따라 자연스럽게 오른쪽으로 향하게 된다. <피에타>가 보인다. 23세의 미켈란젤로는 그리스도의 죽음에도 불구하고 성모 마리아가 슬픔을 승화하고 정신적 성숙과 해탈에 이르렀을 것으로 해석하여, 부드럽게 죽은 그리스도를 바라보는 눈으로 창작했다. 아들보다 젊어 보이는 엄마냐는 비난에 대하여 미켈란젤로는 답했다. '동정녀인 성모 마리아는 늙지 않는다.' 미켈란젤로라는 인간은 여자라는 존재와 대화한 적이 한 번이라도 있을까 싶다.

지상에서는 보이지 않지만 공중에서 보면 그리스도의 얼굴은 고통으로 일그러지지 않고 잠자는 듯 평온한 모습으로 그려냈다. 역시나 <피에타> 역시 하찮은 지상의 인간이 아니라 공중의 하느님을 위한 작품이다. 그러면서도 지상에서 높이 있거나 멀리 있는 조각상을 보기에 충분히 크게 보이기 위해서인지 실제 인체보다 약간 크게 작업했다. 지금처럼 정신병자와 광인을 피해 조각상을 멀리 유리관 안에 넣어둘 것을 예측이라도 했나. 미켈란젤로의 선견지명이 돋보인다.

조각상은 눈을 떼면 금방이라도 옷을 털며 일어나 움

직일 듯하다. 바티칸의 <피에타>나 피렌체의 <다비드>나, 미켈란젤로의 조각 특기는 긴장과 이완 사이의 팽팽한 정중동이다. 누워있는 그리스도가 '오늘은 이만 퇴근합니다'하고 일어나서 들어가고, 어깨 너머로 무심하게 무릿매를 걸친 다비드는 골리앗이 눈을 꿈뻑하는 사이 잽싸게 돌멩이를 휘갈길 것 같다. 가만히 있는 자세에서도 용수철 같은 탄력을 느낀다. 미켈란젤로에게 아름다움이란 나이나 외모에서 오는 피상적인 느낌이 아니라, 찰나의 순간에 붙잡은 일촉즉발의 상황, 반복되지 않고 주의 깊게 보지 않으면 얻을 수 없는 장면 그 자체인가 보다.

임무를 완수한 그리스도의 만족스러운 표정과 성모의 편안한 표정. 두 인물의 표정과 자세는 천상의 존재인 것 같아도, 피부와 골격은 당연히 지상의 것이라고 주장하듯 치밀하고 정확하다. 가볍게 눌린 살, 팔꿈치와 무릎, 손등과 발등의 모세혈관. 미켈란젤로의 위대함은 구상의 참신함뿐만 아니라 묘사의 치밀함에서도 발현된다. 가까이서 보면 유혹되고 멀리서 보면 향수를 느낀다.

인류의 구원을 위해 스스로 제물이 된 아들과 죽은 아들을 보듬어 안음으로써 인간 전체를 품는 어머니가 고통이라는 구덩이 안에 뭉뚱그려지면서도, 슬픔을 극복한 평온한 분위기를 통해 보는 사람에게 묘한 안도감을 준다. 생로병사, 희로애락, 새옹지마. 인간의 삶을 묘사하는 고어는 왜 하나같이 고통과 기쁨을 함께 품고 있는 것인가. 짜증 나는 인간 존재의 숙명이다. '피에타'는 죽을 때까지 미켈란젤로에게 영감을 주는 소재였으며, 밀라노 스포르체스코성에는 팔순의 미켈란젤로가 조각한 또 다른 <론다니니 피에타>가 있다. 청년 미켈란젤로의 피에타가 혈기왕성하고 작가의 한계를 시험하는 작품이라면, 팔순 미켈란젤로의 피에타는 주물러놓은 돌덩어리에 지나지 않지만 인생을 관조하는 노쇠한 작가의 심오한 원숙미가 느껴진다.

왼쪽 복도를 따라 도착한 <성 베드로 청동상>의 앞으로 나온 오른쪽 발가락에 입을 맞춘다. 죄를 용서받고 복을 얻는다는 기복신앙은 우리네 서낭당이나 여기나 매한가지다. 실제가 아니면 어떠랴, 만질 수 있는 것만 해도 얼마나 기념인데. 본당 정중앙에는 베르니니가 설계한 발다키노가 위용을 자랑하며 사람들의 감탄을 자아낸다. 하지만 이 천개를 만들기 위해 판테온 천장을 장식하던 청동을 뜯어왔다는 잔혹한 사실을 아는 순간에도 감탄할 사람이 있을까 싶다. 판테온보다 천개가 엄청나게 더 대단한 미술적, 역사적 가치를 지닌 물건도 아니지 않은가.

인간의 폭력성은 생물과 무생물을 가리지 않는다. 하나의 건축물도 어떻게 보면 완성된 개체인데 그것을 찢어발겨 부품을 떼어내 또 다른 곳에 붙이려는 사고방식은 폭력적이고 불쾌감을 준다. <토이스토리>에서도 해골 옷을 입은 악동 어린이가 장난감들을 해체하여 재조립한다. 본연과 순리에 어긋난다. 본연과 순리라는 것도 최초에 인간이 부여한 것일 수 있지만, 어쨌든 처음에 이렇게 하고자 한 것을 마땅한 사유도 없이 갑자기 저렇게 하자고 하는 것은 이치에 맞지 않는다. 그런 욕심으로 인해 수백 수천 킬로미터를 달리고 헤엄쳐야 사는 동물들을 닷 평 감옥에 가두게 된 것 아닌가. 혹은, 어쨌든 판테온은 감각 없는 무생물인데 내가 과도한 감정 몰입을 하고 있는 것일까.

본당 관람을 마치고 쿠폴라(돔, cupola)에 올라가기로 했다. 층은 5개 층, 계단은 5백 계단이 넘는데, 5층까지 걸어 올라가면 5유로, 엘리베이터로 3층에 내려서 2층만 걸어가는 것은 7유로이다. 자본주의는 치사하다.

하지만 2유로보다는 무릎이 소중하니 엘리베이터를 타고 계단에 당도해서 걸어 올라간다. 계단은 쿠폴라의 경사진 안쪽 벽면을 타고 올라가기 때문에 폭은 좁고 천장은 머리가 닿을 정도로 낮다. 몸은 자연스레 오른쪽으로 기울어지고 오른쪽 벽면을 짚어가며 올라간다. 밀폐된 공간에서 숨 가쁘게 올라가다가 성당 옥상에 당도하면 상쾌한 공기가 밀려들며 해방의 기쁨에 탄성이 절로 나온다.

지평선까지 빼곡하게 들어선 붉은 지붕과 녹지의 향연이다. 그 가운데 명확한 열쇠 모양의 베드로 광장이 콕 박혀 있는 장관을 보면 없던 신앙심도 생긴다. 옥상 복도는 겨우 한 사람이 지나다닐 정도로 좁은데, 그런 공간에 관람객들이 가득 들어차 있다. 좋은 구경 한 번 하라고 1루석 자리를 양보해 줄리는 만무하다. 얼굴에 철판을 깔고 인간 벽을 뚫고 베드로 광장이 잘 보이는 자리를 탈취했다. 어글리코리안이 되는 건 개인의 문제가 아니라, 상황이 몰아가는 것이다. 열쇠 같은 베드로 광장을 보며 오늘의 죄를 고백했다. 저 밑 성당 옥상의 열두 제자 동상이 베드로 광장과 로마 시내를 굽어살피는 듯했다.

# 네로와 콘스탄티누스의 뒤바뀐 가십

로마 시내와 근교를 돌아볼 수 있는 버스 투어를 가는 날이다. 날도 춥고, 소매치기도 무섭고, 대중교통을 별로 이용하고 싶지 않을 때 투어는 효율적인 선택인 것 같다. 경로는 로마 시내의 콜로세움, 대전차 경기장, 진실의 입, 포로로마노, 캄피돌리오 광장, 판테온을 거쳐 나보나 광장에 갔다가 근교에 있는 산칼리스토 카타콤베, 아쿠아 클라우디아 수도교, 성 바오로 참수성지인 트레폰타나 성당을 보고 다시 로마 시내로 돌아와 트레비 분수, 스페인계단을 보고 끝난다.

가장 먼저 콜로세움으로 출발했다. 로마 아니, 이탈리아의 랜드마크는 누가 뭐래도 콜로세움이다. 막대한 크기는 차치하고 고대에 참신한 건축 기술을 동원하여 건설했고, 그 건물을 민중 위락과 동원을 위하여 활용했다는 점에서 건축학, 역사학, 사회학 등 많은 학문적 중요성을 내포하고 있다. 타원형 건물로 긴 지름은 187미터, 짧은 지름은 155미터에 넓이 7천 평이 넘고, 층수로는 4층이지만 높이는 48미터에 이르는 어마어마한 건물이다. 라틴어 '거대한(colossus)'이라는 단어를 그대로 구현해서 거기서 이름을 따온 것처럼 보이지만, 사실 건물의 원래 명칭은 '플라비아누스 원형극장(Amphitheatrum Plavium)'이었고, 그 근처에 30미터짜리 진짜 '거대한' 네로 황제 청동상이 있었기 때문에 '거대한 것 옆에 있는 경기장'이라는 말이 줄어들어 '콜로세움(現 콜로세오, Colosseum)'이 되었다고 한다.

네로 황제 청동상은 후에 아폴론의 얼굴로 바뀌어 6세기까지 존재했었다고 한다. 로마인들의 합리성과 효율성이 여실 없이 드러난다. 다른 나라였다면 네로상을 둘러싸고 혐오자와 숭배자 간 철거와 혐오 의견이 팽팽하게 갈리는 가운데, 듣도 보도 못한 신원 미상인이 나타나서 동상을 파괴해 버리는 반달리즘이 자행되었을 것이다. 범죄를 막지 못한 정부를 비난하는 목소리가 높아지는 가운데, 일부에서는 동상 복구를 위해 성금을 모금하고 일부 세력은 복구를 반대하기 위해 무력으로 들이닥칠 것이다. 모금된 성금은 소리 소문 없이 어딘가로 사라질 것이다. 예나 지금이나 세상 어디에서나 이런 코미디가 발생할 가능성이 크지만, 로마인들은 애당초 그 싹을 잘라버리듯이 또 한편으로는 '쿨'하기 그지없게 악명 높은 전임 황제의 얼굴에 인기 많은 신의 얼굴을 덧씌워 버렸다.

네로 황제는 악명만큼이나 콜로세움과의 인연이 각별하다. 일설에 의하면 그가 콜로세움에서 잔인한 살육극을 즐겼다는 오해가 있다. 사실 콜로세움은 네로 사후 베스파시아누스 황제가 건설하였으므로 콜로세움을 보지도 못한 네로는 억울할 뿐이다. 또 다른 설에는 네로가 로마에 불을 지르고 불타는 로마를 보면서 노래를 했다고 하지만, 이 또한 후대의 역사가들이 팔리기 좋게 꾸며낸 이야기일 뿐이며 전혀 사실무근이다.

모친 아그리피나가 집념의 화신으로 황제를 암살하고 네로를 즉위시키기는 했지만, 네로의 원래 꿈은 싱어송라이터였다. 그는 천성적으로 감수성이 풍부하고 예술을 사랑했으며, 원체 소심하고 우유부단했다. 게다가 네로는 이전 황제들과 같은 위엄이나 강력한 권력이 부족했다. 자신 있고 배짱 넘치게 폭정을 저지를 위인이 못됐다. 오히려 소심한 평화주의자였던 네로는 전쟁을 피하기 위해 적국에 어마어마한 거액을 선물했으며, 검투사 경기조차도 잔인하다는 이유로 폐지해 버렸다. 즉위한 이후 모친을 암살하고 스승 세네카에게 자살을 강요하는 등 비정상적인 행태를 보이기는 했으나, 그가 강한 왕권을 위해 계획을 세웠다거나 대단한 계략을 꾸민 것이 아니라 소심하고 겁난 천성과 편집증이 결합하여 변질된 것이다. 결론상 네로는 유흥과 향락을 좋아하긴 했으나, 모국을 전소시킬 만큼 미치거나 광란에 빠져 있지는 않았다는 것이 중론이다.

로마 대화재도 마찬가지다. 화재는 서민들의 생활터전뿐 아니라 네로 자신의 수집품들도 파괴시켰다. 민중들에게도 꽤 지지를 받고 나름 만족스러운 황제생활을 하고 있던 네로가 직접 불을 지를 리가 만무했다. 오히려 네로는 화재를 진압하기 위하여 백방으로 노력했다. 화재가 어느 정도 진압되자 시민들을 위로하기 위하여 호수공원을 만들고자 했다. 어쩌면 본인이 거기서 노래하고 싶은 마음이 있었을 수도 있다. 그러나 네로가 화재를 일으키지는 않았지만, 결과적으로 화재는 네로를 망가뜨렸다. 거대한 재난 앞에 분노에 찬 민심은 우두머리에게 향했다. 사람들은 유희와 향락을 좋아하는 황제가 일부러 불을 질렀다고 오해했고, 이에 네로는 반대급부로 기독교인들을 희생양으로 삼았다. 황제와 민중 간의 끝없는 신경전으로 기독교인들에 대한 박해는 날이 갈수록 심해졌고, 기독교계에서 네로의 이미지는 적그리스도, 악마가 되었다.

로마 대화재로부터 단 4년 후, 인기는 하락하고 황권은 몰락했다. 네로를 폭군이라고 할 수 밖에 없다면, 아마 이 4년의 기간을 두고 말할 수 있을 것 같다. 네로의 신경질환은 점점 심해졌고 급기야 황제를 단순 비판하거나 조롱한 사람도 처형되었다. 속주 곳곳에서 반란이 일어났고, 전염병까지 돌았다. 그는 간통을 위해 조강지처에게 누명을 씌워 죽였다. 마지막에 네로는 반란군의 압박에 도망가서 하인의 도움으로 겨우 자살한다. 네로는 폭군이라고 하기도 아까운 '한심이'이다. 사람들이 네로를 콜로세움에 연관 지어 입방아에 올린 것은 아마 유흥과 향락을 좋아하는 네로 황제의 이미지가 위락과 파티의 현장 콜로세움과 잘 맞아떨어졌기 때문일 것이다. 예나 지금이나 인간은 가십과 떼려야 뗄 수 없다. 네로의 특이성이라면 무력과 위력으로 권세를 누리려고 했던 이전 황제들과는 다르게 인기와 매력으로 시류에 영합하려는, 노력하는 황제상을 보여주었다는 점이다. 이마저도 아마 마키아벨리가 제일 싫어했을 특징이다.

다시 건물로 돌아와서, 콜로세움은 아치의 건물이다. 각 층마다 아치가 빼곡히 들어차 있다. 아치문은 총 80개이고 각 아치문마다 번호가 매겨져 있는데, 이상하게 76번까지밖에 없다. 4개는 최고위층 출입을 위해 전용으로 남겨 놓았기 때문이다. 황제와 귀족들이 사용했던 문은 황금과 타일로 장식되어 있었는데, 현재는 파편만 남아 있다. 관객들은 입장권으로 쓰이는 도자기 조각을 들고 자기 자리에 착석했으며, 건물 통로가 넓고 문이 많아 유사시 대피가 신속하게 이루어졌다. 베드로 대성당 쿠폴라의 복도는 한 사람 들고나기도 어려워 보이더구먼, 콜로세움 복도는 광활하게 해 놓은 것을 보면 로마인들의 성정은 모 아니면 도였나 보다.

건물 제일 꼭대기 4층에는 벽 중간중간에 돌이 하나씩 튀어나와 있는데, 이곳에 나무막대기를 꽂고 천막을 연결하여 햇빛을 가리는 용도로 썼다고 한다. 상암월드컵경기장 꼭대기의 돛과 비슷한 성격이었나 보다. 그리고 원래 아치돌마다 구멍이 있어 돌과 돌을 연결시키는 쇠 이음새가 있는데 제2차 세계대전 당시 무솔리니가 전시물자로 뜯어갔다. 베르니니는 다른 작품을 만들기라도 했는데, 무솔리니는 귀중한 재산을 훔쳐다가 꼬라박아버렸다.

최초에는 경기장에 물을 채워 '나우마키아(모의해상전투, Naumachia)'를 모사하거나, 고전극을 상영하는 극장으로 활용되었으나, 이후 물을 빼고 나무바닥 운동장을 만들면서 검투경기장으로 변경되었다. 정부가 건립할 때는 '공공목적을 충족하는 군사시설'로 계획한 듯하나, 인간의 욕심은 끝이 없고 악화가 양화를 구축하기 마련이다. 검투경기에서 흘린 피 때문에 나무바닥이 썩었기 때문에 모래를 깔았다. 이 모래의 원래 이름이 '아레나(arena)'였고, 이 뜻이 전해져 내려와 '경기장'으로 사용된다.

1349년 로마 대지진으로 콜로세움 남쪽 벽이 무너졌는데, 이후 복구할 때 예산이 부족했던지 원래 모습 그대로의 완벽한 원통으로 복구하지 않고, 파괴된 부분을 사선으로 처리하고 바깥에서 안쪽 껍데기까지 보이게 만들어 놨다. 그렇게 해놓으니 아치가 겹겹이 보여 현대식 디자인이 가미된 세련된 건축물처럼도 보이고, 입장하지 않는 여행자도 꽤 안쪽까지 구경할 수 있어 고마운 마음이 든다. 애초에 콜로세움은 닫힌 문이 없고 열린 아치로만 구성된 공간이라 바깥과 안의 경계가 없는 신기하면서도 아름다운 곳이다. 무엇이든 중첩되는 것은 그 자체로 아름답다. 콜로세움과 같이 벽마다 아치문이 있고 그 아치문이 엇갈려 나 있어 안쪽을 엿보는 것도 재미있고, 대갓집 한옥의 창호문이 겹겹이 닫혀 있다가 하나씩 열리며 안쪽의 상석과 병풍이 보이는 것도 흥미진진하다. 사람의 심리는 완전히 개방된 것보다 보일 듯 말 듯 은밀하게 보여주는 것에 더 끌리기 마련인가 보다.

로마 남쪽 EUR 지역에 '문명의 궁전(Palazzo della Civilta Italiana)'이라는 펜디 본사 건물이 있다. 외관은 사각 입방체인데 각 면을 빼곡하게 54개의 아치로 채웠다. 현대 버전의 콜로세움으로 놀랍게도 무솔리니 정권이 세계박람회 개최를 준비하면서 건립한 것이라고 한다.

콜로세움 근처에는 콘스탄티누스 개선문이 있다. 파

리 개선문의 모델이 되었던 건물이고, 주제는 콘스탄티누스가 밀비우스 다리에서 막센티우스 황제에게 승리하는 내용이다. 콘스탄티누스는 십자가의 환상을 듣고 나서 군대 병사들의 방패에 십자가를 그리고 진격하여 승리를 거머쥐었다. 이후 황제로서 로마에서 박해받던 기독교를 공인하는 '콘스탄티누스 기진장'을 발행함으로써, 장차 향후 기독교의확장을 개시하는 시초가 되었다고 한다. 하지만 이 기진장이라는 것의 정체는 중세 교황청이 세속의 토지 지배권을 확보하기 위하여 위조한 문서라는 것이 15세기 에 드러났고, 이에 대한 대응으로 16세기에 교황청이 바티칸 박물관에서 보았던 <콘스탄티누스 방>을 창작하기에 이르렀다고 하니, 코미디도 이런 코미디가 없다.

하긴 상식으로 생각해도 십자가의 환상을 보아서 전투에 승리하고 이에 감사하여 승인장을 발행했다는 일화는 흥밋거리를 만들기 위한 극적인 요소라고 생각된다. 실상은 콘스탄티누스 황제의 전략적 선택과 포용적 태도 덕분에 기독교가 인정되었다고 본다. 당시 로마의 세력은 폭발적으로 확장되어 이미 서쪽으로는 영국, 스페인, 북쪽으로는 독일까지 점령하고 있었다. 이미 한

명의 황제가 다스리기에는 너무 역부족이어서 황제도 4명으로 나누어 담당하고 있었다. 제국의 동쪽과 서쪽, 남쪽과 북쪽 간 거리가 너무 멀어지고 국민의 다양성이 확대됨을 넘어 자칫 분열의 위기까지 갈 수 있는 상황에서 사회통합을 위한 슬로건이 반드시 필요했다. 기독교가 확산되고 있는 하층 계급과 동부 로마지역을 포용하는 것도 중요한 전략목표였다.

콘스탄티누스는 사회를 연착륙시키고 새로운 피를 안전하게 수혈하기 위해 새롭게 뜨는 패러다임을 수용하기로 했다. '너와 내가 평등하게 사랑하자'라는 모범적인 구호는 서민들이 듣기에도 아름답고 국가적으로도 사회통합을 위해 유용해 보인다. 기독교 세력의 규모나 파장과는 비교도 되지 않겠지만 우리로 치면 '90년생이 온다' 'MZ세대'를 언론에서 자주 노출시키며 공식적으로 '승인'한 것과 마찬가지이다. 어쨌든 콘스탄티누스 황제의 결정은 훗날 로마 제국을 이어 세계를 장악하는 '기독교 제국'이 형성 되는 시초가 되었다. 황제의 선견지명이었으려나.

한 가지 모순적인 것이 콘스탄티누스 개인의 생애를 놓고 볼 때, 기독교를 공인한 것 외에 기독교인으로서 모범이 될 만한 행태는 거의 없다는 것이다. 콘스탄티누스는 히스패니아, 브리타니아와 함께 갈리아, 게르마니아 지방을 통치할 때, 민중봉기와 반란이 발생하면 즉각적으로 진압하고 몰살했으며 반역자들은 원형경기장에서 참혹하게 처벌했다. 아레나의 사신(死神)은 네로가 아니라 콘스탄티누스였다. 다른 황제들을 차례로 무찌르며 로마 제국 최고의 권력을 향해가면서, 마지막 동방정제 리키니우스를 무찌르고서는 그를 귀양 보냈다가 반역을 꾀했다는 이유로 재판도 없이 사형시켜 버렸다.

최악의 행태는 친아들 크리스푸스에 대한 것이었다. 콘스탄티누스는 크리스푸스의 엄청난 활약에 힘입어 야만족 반란을 진압했고, 리키니우스와의 결정적인 해전에서 크게 승리하였다. 그러나 그는 훗날 크리스푸스가 계모 파우스타와 간통을 했다는 이유로 고문 끝에 죽였고, 파우스타조차도 목욕탕에서 질식사를 위장하여 죽였다. 이러한 만행을 저지른 종국에 콘스탄티누스는 죽기 바로 직전에 현세의 죄를 깨끗이 씻기 위하여 세례를 받고 죽었다. 콘스탄티누스가 자신의 만행에 실제로 죄의식을 느꼈는지는 의문이다. 그 모든 일들이 황제로서 국가의 안녕을 위하여 당연히 해야 할 일을 했을 뿐이라고 생각했을지 모를 일이다. 그 모든 죄악에도 불구하고 천국이 있고, 자신은 천국에 갈 수 있다고 믿었는지도 모를 일이다.

DAY 4 로마 버스 투어

# 과거는 머무르지 않고 흘러오면서

콜로세움에서 남서쪽 대전차경기장(Circus Maximus)과 '진실의 입(Bocca della Verita)'에 들른다.

대전차경기장은 로마 최초이자 최대의 전차경기장으로 인류 최초의 초대형 위락시설이라고 볼 만하다. 콜로세움 수용인원이 최대 8만 명인데, 대전차경기장은 최종 확장 시 수용인원이 27만 명이었다고 하니 지금도 넘보기 힘든, 인류 역사상 최대의 경기장이다. 27만 명이라면 우리 여수시 정도와 맞먹는 인구이다. 실제로 발생했던 2층 객석 붕괴사고에서는 사상자가 1만 명이었다고 한다. 1만 명이면 현대 의료 수준으로 따져도 병원 100개 정도는 필요할 것 같은데, 이래저래 믿기 힘든 숫자이다.

원래 모델이 되었던 그리스 전차경기는 일반인 아마추어들이 하는 취미 수준으로서 40명이 1바퀴를 뛰었는데, 로마에서 프로경기가 되면서 12명이 4두 마차로 7바퀴를 달렸다. 반환점에는 청동동상 7마리가 있어 랩타임을 표시해 주었고, 주로 중앙분리대 부분부터 속력을 내었으며 반환점에서 원심력을 이기지 못하고 튕겨나간 전차들은 실격되었다. 이 전통이 현재까지 이어져서 F1 드라이버들이 20명으로 한정되나 보다. 머신들이 원심력을 이기지 못해서 튕겨 나가는 것도 비슷하고. 인간의 스포츠란 아마추어들이 놀 때는 참여에 초점이 맞춰진다면, 프로의 영역으로 넘어오면서 확실히 한정된 선수들이 기량을 보이는 것을 즐기게 된다. 올림픽 야구와 MLB 간의 차이와 비슷한 것 같다.

로마의 프로 전차경기에서 <벤허>처럼 전차를 무장화하거나 기수가 무기로 상대선수를 해치는 일은 불가능했다. 대전차경기는 오늘날로 치면 경마와 같아 경마인들로서는 정정당당하게 승리하지 않은 선수에게는 극심한 분노를 표출했다. 과천 가서 보니 정정당당하게 당한 패배도 받아들이기 힘들어 보이던데, 물론 먼 옛날에는 언어로 끝나지 않았을 수도 있겠다. 무기를 든 글래디에

이터는 투기경기장에서만 가능했다. 폭력은 UFC에서만, 경마장에서는 경마만 하라는 것이구만. 민중 위락을 위한 경기인만큼 남녀노소 가리지 않고 관람이 가능했다. 다만 황제와 귀족들은 경기장에 직접 오지 않고 경기장이 잘 보이는 팔라티노 언덕의 개인 별장 도무스(domus)의 발코니에서 VIP석 관람이 가능했다. 경기장은 U자형 구조로서 3면에 좌석이 있고 때때로 경기장 가운데에서 콘서트와 축제가 열렸다. 운동경기장에서 콘서트라니, 인류라는 게 이렇게 발전이 없을 수가 있나. 대전차경기장은 다른 로마 여느 평지가 그러하듯이 관리를 하지 않으면 테베레강의 범람으로 항상 전염병의 발원지가 될 뿐이었고, 로마 멸망 이후 다시 퇴적물이 쌓여있다가 이제야 발굴하고 있는 상태이다.

인근의 '진실의 입'으로 이동했다. 유물의 보고 로마에서 발굴된 만큼 수천 년 역사를 지니고 있겠지만 '진실의 입'이 사람들에게 알려진 것은 겨우 50년 밖에 되지 않았다. 아무도 찾지 않고 있는지도 몰랐던 돌덩이가 영화 단 1편으로 글로벌 스타가 되었던 것이다. 문화의 힘이란 또는 군중의 열광이란 도무지 예측할 수가 없다. 왜 수많은 아이돌 그룹 중에 유독 몇 팀만

이 생존하는지. 또는 몇 년 뒤에 부활하는지. 완벽한 외모와 뛰어난 연기 등 반드시 성공할 것만 같던 연예인이 얼마 가지 않고, 무색무취한 것 같던 연예인이 슈퍼스타의 자리에 오르는지. 한 길 사람 속은 영원히 알 수 없을 것이다.

<로마의 휴일> 촬영 당시, 현실감을 높이기 위해 오드리 헵번을 속이고 그레고리 펙이 '진실의 입'에 손을 넣었을 때 정말 손이 잘린 것처럼 연기를 했다고 한다. 그래서 그런지 오드리 헵번의 혼비백산했다가 분한 마음에 앙탈 부리는 모습은 그 당시 연기상에 비추어 봤을 때 상당히 독특하게 현실성 있다.

'진실의 입' 모델은 강의 신 홀르비오라고 추정하지만, 정확한 기원도 원래의 용도도 알려진 바가 없다. 가축시장의 하수도 뚜껑이었다는 설이 있지만, 이 돌이 1톤이나 된다는 점, 재료가 수입대리석이라는 점, 돌 전체에 비해 물이 들고날 수 있는 구멍이 너무 작다는 점 등에서 반박당한다. 아마 강의 신을 조각했으니 어느 분수나 건물을 장식하지 않았을까 예상한단다. '진실의 입'으로 행세하게 된 것은 중세시대, 사람을 심문할 때 손을 집어넣고 진실을 말하지 않으면 손이 잘릴

것을 서약하게 한 데서 유래하였다. 하지만 그 암흑의 시대는 무시무시해서 진실을 말하든 말든 심문자의 마음에 따라 어차피 손이 잘렸다. 마녀사냥이 괜히 마녀사냥이 아니다. 불에 태워봐서 타 죽으면 사람이었고, 살아 나오면 악마의 수하이니 죽이는 것이 마땅하다. 마녀사냥을 당하는 쪽이 마녀가 아니고, 시행하는 쪽이 마녀이다.

'진실의 입'이 부착되어 있는 건물은 산타마리아 인 코스메딘 성당이다. 이곳에는 성 발렌티누스의 유해가 있다. 그리스도와 더불어 전 세계적으로, 기독교인이 아닌 사람도 추모하는 밸런타인데이의 주인공, 미혼남녀의 수호성인이다. 미혼남녀의 연애사에는 대충 항상 애절함이 깃들어 있다.

로마 클라우디우스 2세 황제는 사기 진작 차원에서 전쟁에 출전하는 병사들에게 결혼을 금지했다. 아무래도 아저씨보다는 혈기왕성한 총각이 더 잘 싸우리라는 예상에서였나. 그럼에도 불구하고 열혈 연애 중이던 남녀들은 지엄한 황명을 두려워하지 않고 혼인서약을 하고자 백방으로 노력한다. 아무래도 클라우디우스 2세는 하지 말라면 기어코 더 하고 말려는 인간의 심리를 잘 몰랐던 것 같다. 사제들이 다들 처벌이 무서워 혼인서약 해주기를 주저하는 가운데, 성 발렌티누스는 죽음을 두려워하지 않고 흔쾌히 자신을 찾아온 예비부부들의 주례를 선다. 그러다 황제의 분노를 사게 되어 서기 270년 2월 14일 형장의 이슬로 사라졌다고 한다.

하지만 2월 14일의 정확한 기원에 대해서는 다분히 의견이 분분하다. 서양에서는 2월 둘째 주부터 새들이 짝짓기 한다고 믿는 속설이 있어, 이 날을 '공식 짝짓기의 날'로 여기기로 한 것일 수도 있다. 실제로 로마 가톨릭 역사에서 공식적으로는 성 발렌티누스를 기리기 위해 기념일 창설한 기록은 없다. 기원은 오히려 고대 로마인들의 이교도 축제로부터 비롯되었다고 본다. 즉 로마인들은 2월 15일 자신들의 시조인 로물루스 형제를 기리는 루퍼칼리아 축전을 열었는데, 교황 겔라시우스가 496년 이를 금지하고 대신 2월 14일을 무슨무슨 데이로 기념하기로 했다. 그리고 이 무슨무슨 데이 이름을 붙이기 위해 찾은 것이 성 발렌티누스였을 것이다. 이로부터 1969년 로마 가톨릭의 성인력이 개정되어 성 발렌티누스가 성인 명단에서 제외되기 전까지 이 축일은 유지되었고, 이후로도 전통적인 관습에 따라 밸런타인데이가 이어져 내려오고 있다.

과거에는 밸런타인데이에 부모와 자식 간에 감사와 사랑을 담은 카드를 교환하였지만, 어느 순간 남녀 간의 애정 표현으로 변질되었고, 일본 아무개 회사의 상업적 농간에 의해 초콜릿 매상만 신경 쓰는 날이 되어 버렸다. 모든 것은 최초가 가장 아름답고 그 이후부터는 다 변질되어 버리는 것 같다. 과거는 흘러오긴 오는데 위에서부터 아래로, 맑은 물에서 혼탁한 물로 흘러 내려오는 것 같다.

콜로세움에서 베네치아 광장으로 가는 도중에 고대 로마를 통과하게 된다. 무솔리니가 역사 유적 위로 개선행진을 하고 싶다는 당당하고 기가 차는 포부에 따라 콜로세움에서 베네치아 광장에 이르도록 포로로마노(舊포룸로마눔, Forum Romanum)를 가로지르는 대로를 조성했기 때문이다. 신박한 미친놈이라고 해야 되나. 무식한 놈이 용감하면 사달이 난다고 해야 하나. 어쨌거나 이탈리아는 참패라 말하기조차 애매한 전쟁을 치렀으니, 조상 잘못 모시면 천벌 받는다는 말이 사실인 듯하다. 별론으로 세계대전 전장에 나선 이탈리아군에 관련된 일화들을 모으면 유머 모음집이 된다고 한다.

포로로마노는 지금으로 보자면 읍내, 시내이다. 포로로마노는 로마에서 보기 드문 꽤 넓은 평지에 있다. 원래 로마 테베레 강 유역은 여타 강들과는 달리 사람이 살기에 적합한 공간이 아니었다. 빈번한 강의 범람과 말라리아 창궐로 인해 사람들은 강가를 떠나 언덕으로 도망갔다. 로마의 일곱 언덕(퀴리날레, 비미날레, 카피톨리아노, 에스퀼리노, 팔라티노, 첼리노, 아벤티노)에 최초로 정착했고, 그중에서도 팔라티노 언덕에서 발현한 '로마'가 훗날 일곱 언덕을 모두 점령하게 된다. 어쨌든 사람들이 곳곳에 정착한 이후 언덕들 상호 간에 물물교환과 통신교통이 활발해지자, 점점 언덕 아래 평지로 진출했다. 역설적이게도 고대 로마에서 '포룸(forum)'은 주변부라는 의미였지만 실제 위치는 언덕들의 가운데인 중앙이었고, 오늘날 광장이라는 의미의 포럼(forum)이라는 단어의 기원이 된다. 원래 로마 이전 원주민들은 이 평지에 시체를 수장하곤 했는데, 에트루리아의 타르퀴노 프리스코왕 시절 대하수도(Cloaca Maxima) 건설과 간척사업을 통해 이용 가능한 땅으로 만들었다. 사람들이 모였던 평지 로마광장은 시장으로 이용되었고, 이어서 법정, 공회당 등 관공서, 나아가 신전이 세워지면서 정치, 경제, 종교의 중심지가 되었다.

포로로마노는 율리우스 카이사르가 활동하던 무대이다. 시오노 나나미가 사랑해 마지않는 로마 자수성가의 표본, '황제'의 어원 카이사르다. 모순적으로 카이사르는 '황제'가 된 적이 없다. 되기 직전에 살해당했다. 카이사르의 생애는 영웅 일대기의 정석이다. 혹은 현대의 영웅서사가 카이사르를 본 따 만들어지지 않았을까.

공화정 로마 시대, 민중들의 지지를 받는 민중파는 원로원을 중심으로 한 벌족파와의 세력 다툼에서 패배하여 숙청의 위기에 놓여있었다. 카이사르는 민중파 귀족가문에서 출생하여 10대에 이미 살생부에 올라가 있었다. 하지만 카이사르는 그런 위협 속에서도 좋은 인사성과 바른 행실을 강조한 모친의 가르침 덕분에 목숨을 부지하고 생존할 수 있었다. 청년 카이사르는 어찌저찌 변호사로서 포로로마노에 사무실을 개업하여 근근이 살림을 유지하며, 마흔까지 소시민으로 살아간다. 그 와중에도 깡은 있었는지 당대 최고의 부자 크라수스와 그가 선임한 최고의 변호사 키케로를 상대로 끊임없이 소를 제기한다. 당시 로마에서는 승소만 하면 패자의 재산을 일부 가져갈 수 있었기 때문이다.

카이사르는 우연히 벌족파와 혼인을 계기로 43세에 집정관이 되었으나, 오히려 벌족파 권력을 타파하는 데 힘쓴다. 살생부 진행을 개시한 벌족파는 집정관 임기 1년이 끝나는 대로 카이사르를 암살하고자 하고, 이를 눈치챈 카이사르는 집정관 임기가 끝나자마자 갈리아 원정을 떠난다. 그는 7년의 원정을 눈부신 승리로 장식하고 로마로 개선 승진한다. 그러자 귀족들은 '사령관 임기는 5년인데, 2년이나 지체하여 귀국하는 것은 반역이다.'라는 억지논리로 카이사르의 입국을 금지한다. 로마 앞을 흐르는 루비콘 강(이라고 쓰고 냇물이라고 읽는다)에서 카이사르는 "내가 이 강을 건너면 인간사가 비참해질 것이지만, 내가 이 강을 건너지 않으면 로마가 비참해질 것이다. 주사위는 던져졌다."라고 명언을 남긴다. 그리고 진격한 카이사르는 로마에서 그를 저지하던 폼페이우스를 이기고 "왔노라 보았노라 이겼노라.(Veni, vidi, vici.)"를 남긴다. 종신독재관이 된 카이사르는 화폐와 토지 개혁을 단행하고, 권력 타파를 지속한다. 카이사르가 태어난 연중 일곱 번째 달은 7이라는 의미의 '셉트(sept, 후에 September는 9월이 됨)'를 빼앗기고 '율리(July)'가 된다. 이후 옥타비아누스가 동일하게 8이라는 의미의 '옥트(oct, October는 10월)'를 밀어내고 연중 여덟 번째 달을 '아우구스트(August)'로 만든다.

민중 사이에서 높아져 가던 인기와는 반대로 불만이 쌓여가던 원로원 귀족들은 결국 카이사르가 56세가 되던 해 암살한다. 폼페이우스 극장의 회랑을 지나는 카이사르를 단검으로 수차례 찔러 살해하였다. 자신이 무찌른 폼페이우스를 기리는 회랑에서 죽음을 맞이하다니, 이 또한 아이러니이다. 셰익스피어가 묘사하기로 죽어가는 카이사르가 남긴 마지막 말은 "브루투스, 너마저?(And you, Brutus?)"이다. 영어도 극적이지만, 한글 번역이 정말 입에 찰지게 붙는다. 오죽하면 '브로콜리 너마저'라는 밴드도 생겼을까. 죽은 카이사르는 포로로마노의 제단에서 화장되었으나, 뼛가루가 땅에 스며들어 따로 봉안하지는 못했다. 카이사르가 화장되었던 제단에는 아직도 사람들이 와서 헌화를 한다. 몇천 년 전의 사람을 추모하다니, 사람의 상상력이란 이렇듯 무서운 것이다.

영웅이 죽으면 나라가 망하는 경우가 있지만, 로마는 달랐다. 얼마 전까지만 해도 움막에서 생활하던 로마인들은 불과 몇 세기 만에 대리석으로 된 고층건물을 건축하고, 정복하는 곳곳에 로마식 광장 시스템을 이식했다. 나라를 사람으로 비교하자면 로마는 무엇이든 습자지처럼 빨아들이는 유아기를 거쳐 청년기로 이행하는 중이었다. 고대 에트루리아의 개관시설처럼 선진기술을 재빨리 습득하고, 폼페이의 가능성을 알아보아 해양중개 무역도시로 발돋움시켰다. 귀족정에서 공화정으로, 다시 제정으로, 그리고 분리된 국가까지 정체를 바꾸면서 천년 넘게 살아남았다. 세계적으로 천년 이상의 통일된 역사를 지닌 나라는 로마와 통일신라밖에 없을 것이다.

# 미켈란젤로의 부캐는 건축가

캄피돌리오 언덕은 강과 가까이 있어 로마인들이 상대적으로 나중에 점령한 땅이다. 처음에는 로마의 최고신 유피테르와 유노, 미네르바를 모신 신전이 위치해 있었다. 이 언덕에 교황 바오로 3세의 의뢰를 받고 미켈란젤로가 광장을 조성했다. 신성로마제국 황제 카를 5세가 로마에 방문할 때, 그를 영접할 장소를 마련해 달라는 것이었다.

광장은 언덕 아래 입구에서 볼 때 완벽한 사각형이 아니라 안쪽으로 갈수록 넓어지는 사다리꼴이다. 이렇게 하여 아래쪽에서 볼 때 넓어 보이는 투시효과를 냈다. 입구 코르도나타(계단언덕, cordonata)는 아래쪽 폭이 좁고 위쪽 폭이 넓게 만들었는데, 역시 아래에서 볼 때는 원근법이 무시되어 소실점을 잃고 가깝게 느껴진다. 높은 곳에 있는 광장이지만 그렇다고 해서 거리감은 느껴지지 않게, 사람들에게 접근성이 좋아 보이도록 만들었다. 계단은 한 칸 한 칸은 직각이 아니라 완만한 경사를 이루면서 폭이 굉장히 넓다. 황제가 말을 탄 채로 계단을 오를 수 있게 해달라고 했던 의뢰 때문이다.

광장에 들어서면 하얀 직선으로 장식된 바닥이 보인다. 지상에서는 직선으로밖에 보이지 않지만 공중에서 광장을 바라보면 꽃모양이 확연히 드러난다. 다이아몬드 형태의 꽃잎을 타원으로 감싸고 있다. 직선으로는 구사하기 어려웠을 텐데, 광장 주변을 주변보다 약간 높이고 주변부로 갈수록 선을 얇게 해서 꽃을 완성했다. 미켈란젤로가 누누이 말하듯이, 피에타도 그렇고 캄피돌리오도 그렇고 '지상의 천한 인간을 위한 것이 아니라, 하늘의 신께 바치는 정성'이다. 그런데 아이러니하게 현대인들은 집에 앉아서 구글어스로 그의 작품을 감상한다. 신께 바쳤던 정성을 후손들이 받고 있다. 이것도 미켈란젤로의 예상일까. 인간이 점점 옛적에는 신이라고 여겼던 것에게 다가가고 있는 것일까.

세 채의 궁전이 캄피돌리오 언덕을 감싸 안고 있다. 궁전들이 감싼 광장은 포로로마노를 등지고 바티칸을 바라보고 있다. 다신교 중심의 고대를 밀어버리고 등진 채, 하느님께 향한다는 기독교의 의지이다. 입구 정면의 舊 원로원, 現 로마시청사(Palazzo Senatorio), 그 양 옆으로 콘세르바토리 미술관(Palazzo Conservatory), 캄피돌리오 미술관(Palazzo Nuovo)이 있다. 시청사 앞면에 분수가 있는데, 미네르바가 가운데 중심을 잡고 양 옆으로 테베레강과 나일강의 신이 바깥쪽을 보며 기대앉아있다. 광장 가운데에는 5현제 중 한 명인 마르쿠스 아우렐리우스 황제의 기마상 모작이 있다. 황제의 기마상은 원래 라테라노 궁전 광장에 있었고, 현재 진품은 캄피돌리오 미술관에 있다. 아우렐리우스 황제는 <명상록>의 저자로 유명하나, 기독교를 극심하게 박해했다. 잘 알았다면 중세 기독교인들이 분노에 차서 파괴했겠지만, 그들은 이 동상을 위대한 콘스탄티누스 황제로 오인하여 잘 보존했다. 역설적으로 기독교를 가장 탄압했던 황제의 동상이 기독교인들에게 가장 사랑받으며 살아남았다.

캄피돌리오 언덕 아래, 포로로마노 북쪽에 '조국의

제단'을 품은 비토리오 에마누엘레 2세 기념관이 있다. 통일 이탈리아 초대국왕 비토리오 에마누엘레 2세 사망 30년 이후에 건립하였다. 건물은 다른 색이 전혀 없이 하얀 대리석으로 만든 신전 같다. 애초 기념관 건립을 위해 이 지역 주민들을 집단이주 시키고 구역을 초토화한 데다가, 지어진 건물은 겉에만 번지르르하고 속내용물은 보잘것없어서 시민들이 '웨딩케이크'라고 부르며 욕했다. 미국인들에게는 당시 새로운 문물로 인기를 끌고 있던 '타자기'로 보였던 것 같다. 어쨌든 지금은 국가 박물관으로 활용되고 있고, 그 앞에는 전몰용사를 기리기 위한 '꺼지지 않는 불꽃'이 타오르고 있다. 세계 어느 나라에나 이런 '꺼지지 않는 불꽃'이 있는데, 이 불꽃들은 정말 어떻게 관리되고 있는 것일까.

북서쪽으로 방향을 틀어 판테온에 당도했다. 그리스어로 pan은 '모든', theon은 '신'을 뜻하니, 판테온은 '모든 신들을 위한 신전'이라는 뜻이다. 고대 로마인들이 수백 년간 각종 신들을 모셨던 다신교의 본산이다. 애초 제우스, 마르스 등 다양한 신 조각상으로 장식되어 있었으나, 위치나 모양 등 현재는 자료가 없다. 지금은 기독교 성당이다. 기독교가 로마에 유입된 것이 1

세기, 콘스탄티누스 황제가 기진장을 발행한 것이 313년이니, 200년의 역사가 판테온의 운명을 전환시킨 분기점이다. 그래도 콘스탄티누스 황제 사후 300여 년간 판테온은 여전히 다신교 신전이었고, 그 이후에야 기독교에 기증되어 성모마리아께 헌정되었다. 판테온이 기독교에 이관되지 않았다면 현재까지 다신교 신전일지, 혹은 존재하고 있을지 모를 일이다. 어쩌면 공식적으로 박물관이 되었을 수도 있겠다.

판테온이 최초로 건립된 것은 아우구스투스 황제 시기 아그리파 장군에 의해서였다. 기원전 27년 최초 건립되었으나 서기 80년 화재로 전소되었고, 재건 이후 110년 번개로 다시 파괴되었다. 저마다 나르시시즘 한 가닥씩 하는 그 많은 신을 모두 한 곳에 모으려 하다니, 신들이 허락하지 않은 건물 아니었을까. 하지만 흉가에는 시멘트 공구리질이 답인 것처럼 인간의 의지는 신보다 강한 법이다. 기어코 하드리아누스 황제 시기에 다시 재건하였다.

건물의 형태는 원통을 중심으로 지붕에 돔이 얹혀 있고 입구에 신전 같은 직사각형 현관이 붙어 있는 꼴이다. 블록놀이를 하다가 떠오른 구상이었는지 모르겠지만, 단순한 도형들의 명료한 조합은 기하학적으로 완벽해 보이는 것은 물론이고, 오늘날의 눈으로 보아도 재기발랄하다. 진취적이고 현대적이라고 느낀 것은 건축 대가들도 마찬가지였는지, 팔라디오의 빌라 로톤다(Villa Rotonda)나 미국 콜롬비아대학교 본관 등 수많은 건물의 모티브가 될 정도로 인류 역사상 가장 고전적인 건축의 정석이다. 미켈란젤로조차 '판테온은 신이 만들었다'고 할 정도였다.

바닥부터 돔 꼭대기까지 높이는 43미터, 본체건물인 원통의 지름도 우연의 일치가 아닌 43미터로써 구조상 원통 속으로 43미터의 거대한 구가 들어간 형태이다. 베드로 대성당의 쿠폴라부터 바닥까지가 42미터인데 베드로 대성당보다 더 큰 돔건물을 지을 정도로 고대인들의 기술이 뛰어났다는 증거일 수도 있고, 베드로 대성당조차 판테온의 위명을 경외했다는 뜻일 수도 있다. 돔의 높이는 건물 전체 높이의 정확한 절반이다. 말하자면 컵의 지름에 딱 맞는 공이 딱 절반 나와 있는 모습이다. 건축적으로나 미적으로나 군더더기 없고 균형적인 꼴이다.

판테온은 우주이고, 꼭대기에 구멍이 난 돔은 하늘

혹은 하늘과의 연결고리를 상징할 것이다. 오쿨루스(눈, oculus)의 지름은 8.3미터로 다른 건축물들에서 보기 힘들 정도의 거대한 크기인데, 매우 도전적인 과제였을 것이다. 일설에는 오쿨루스 아래에 공기가 상승기류를 형성하기 때문에 비가 와도 오쿨루스 안으로 떨어지지 않는다고 하지만, 사실이 아니다. 비가 오면 실내에 비가 많이 떨어진단다.

건물 지름과 똑같은 지름의 거대한 반구를 얹기 위해 건물 벽 두께는 6미터의 튼튼한 골격으로 만들었으며, 위로 갈수록 얇아져 무게를 분산한다. 돔은 5개의 동심원으로 되어 있고, 각 층마다 음력 한 달을 상징하는 28개의 격자로 들어차 있다. 벽돌 안에 심은 말총이 현대로 보면 콘크리트 안에 심은 철강의 역할을 했을 것이라고 분석한다. 건물 현관의 삼각형 파사드는 원래 청동으로 장식되어 있었으나, 베드로 대성당 발다키노를 만들려는 베르니니에 의해 뜯겨나갔다. 돔도 원래 황금으로 장식되어 있었으나, 콘스탄티누스 황제가 콘스탄티노플(이스탄불)로 천도하기 위한 비용을 마련하고자 반출했다. 고대에도 유네스코라는 게 있었다면 그 직원들은 아마 스트레스받아 죽었을 것 같다.

다신교 성전에서 기독교 성전으로 변모한 이곳에는 다양한 신과 인간들의 묘지가 혼합되어 있다. 제우스, 마르스, 로마의 시조 로물루스, 트로이의 장군 아예네이스, 통일 이탈리아의 초대왕 비토리오 엠마누엘레 2세와 그 아들 움베르토 1세, 왕비 마르게리타도 같이 모셔져 있다. 또한 천사들의 애도를 받는 라파엘로의 묘지가 있다. 라파엘로는 예술적 영감을 얻기 위해 매일 판테온을 방문했다고 하는데, 그 당시 천장 안쪽 구멍마다 붙어있던 별 조각이 영감의 원천이 되었을 것이다. 결국 라파엘로는 사후에 자신이 그토록 사랑해 마지않던 판테온에 묻혔다.

판테온 근처에서 점심을 먹었다. 이 근처 코르소 거리(코모 코르소, Como Corso)는 유명 브랜드가 되어 이탈리아는 물론 우리나라에서도 유명하다. 유명 브랜드의 기원이 되는 만큼 먼 옛날부터 로마인의 삶의 터전으로서 의식주와 관련된 가게들이 즐비하고, 한 땀 한 땀으로 유명한 이탈리아 장인들의 공방과 골동품을 취급하는 가게들도 쉽게 만날 수 있다. 오래된 식당들이 번창하기 때문에 새로운 식당들도 늘어나고, 메뉴도 다양하다. 로마 3대 젤라토 중 하나인 '지올리띠

(Giolitti)'와 생크림을 얹은 에스프레소인 카페콘파냐가 유명한 '타차도르(Tazza'dor)'가 근처에 있다. 타차도르에서 카페콘파냐를 주문해 먹었는데, 생크림으로 에스프레소의 쓴 맛을 잘 중화하면서 먹어야 한다. 얼죽아의 나라 출신인 나로서는 음료라기보다는 디저트 같았다. 지올리띠의 젤라토는 2 스쿱에 2.5유로로, 또 다른 3대 젤라토 파씨가 3 스쿱에 1.6유로인 것에 비해 좀 비싸다. 재료의 질이 다른지는 모르겠지만 맛의 차이는 별로 못 느꼈다.

점심식사 이후 서쪽으로 이동하여 나보나 광장에 이른다. 스페인 광장과 더불어 로마에서 가장 번화한 광장이다. 광장에는 크리스마스마켓이 한창이고, 아이들을 끌어들이는 회전목마가 바쁘게 돌아간다. 나보나 광장은 최초 도미티아누스 황제 전차경기장으로 조성되었기 때문에 좁고 긴 형태로서, 경기장이었던 곳은 광장, 관중석이었던 곳은 여러 건물들이 둘러싸고 있다. 이곳도 모의 해상전투장, 공공극장, 대소규모 축제장소 등 복합문화시설이었고, 나중에 경기장이 파괴되고 흔적이 사라진 후에도 사람들이 여전히 애용했다. 이 광장에 위치한 성 안드레아 성당이 과거 카이사르가 암살되었던 폼페이우스 극장이다.

광장에는 북쪽의 넵튠 분수, 중앙의 4대 강(피우미, Fiumi) 분수, 남쪽의 모로 분수 등 3개의 거대한 분수가 웅장하고 아름다운 외형으로 사람들의 눈길을 사로잡는다. 넵튠 분수는 문어와 싸우는 넵튠을, 모로 분수는 돌고래와 싸우는 모로인(이디오피아인)의 모습을 형상화했다. 4대 강(피우미, Fiumi) 분수는 베르니니가 설계했으며, 가운데 오벨리스크의 꼭대기에는 베르니니의 후원자였던 교황 인노첸시우스의 가문인 팜필리 가문을 상징하도록 올리브 가지를 물고 있는 비둘기가 조각되어 있다. 오벨리스크 아래의 4명의 거인은 각각 아시아의 갠지스, 유럽의 도나우, 아메리카의 라플라타, 아프리카의 나일 강으로서, 5대양 6대주까지는 아니더라도 전 세계를 아우르는 교황의 위세를 상징한다.

갠지스 강은 노를 젓고, 도나우 강은 비둘기를 향해 손을 뻗치고, 라플라타 강은 은화 동전 위에 앉아 있다. 나일 강은 마치 바로 앞에 있는 성당이 못 볼 꼴이라는 듯 천으로 눈을 가리고 있다. 그 성당은 로마 건축가 프란체스코 보로미니가 건축한 고난의 성 아그네스(산타녜제 인 아고네, St. Agnese in Agone) 성당이다. 일설에 따르면 보로미니와 베르니니는 서로 증오하는 라이벌인데, 보로미니의 성당 앞에 분수를 지으라는 의뢰를 받고 베르니니가 이렇게 성당을 폄훼하는 포즈의 동상을 만들었다고 한다. 하지만 사실 분수는 1651년, 성당은 1666년 완공으로 성당이 더 늦게 지어졌으니 보로미니를 깎아내리는 베르니니가 아니라 베르니니를 놀리는 보로미니로 보아야 하지 않을까 싶다. 아마 베르니니가 의도한 나일 강의 거인 포즈는 알 수 없을 정도로 길고, 크고, 오래되었다는 뜻일 게다.

DAY 4 로마 버스 투어

# 몸은 지하에 마음은 천국에

로마 시내를 벗어나 성 칼리스토 카타콤베(Catacombe di St. Callisto)에 당도했다. 카타콤베는 로마 주변에 약 60여 개가 있었는데 현재는 아피아 가도의 성 세바스티아누스 카타콤베, 셋테키에세 거리의 도미틸라 카타콤베와 오늘 가는 성 칼리스토 카타콤베가 가장 유명하다. '카타콤베'는 고대 로마어로 드러눕는다는 뜻의 '쿠바레'와 무덤이라는 뜻의 '콤베'의 합성어라고 한다. 과거에 카타콤베라 하면 성 세바스티아누스 카타콤베를 일컬었고, 다른 카타콤베는 공동묘지이자 안식처를 뜻하는 치미테로(cimitero)라 했다가 후대에 모두 카타콤베로 바꾸어 불렀다.

고대 로마에서는 사후세계라는 것이 없어서 시신을 화장했는데 이 땔감이 너무 비싸서 사실상 부유층만이 화장을 할 수 있었다. 돈 없는 서민들은 매장을 택할 수밖에 없었는데 그나마도 로마는 성벽 안에 묘지를 허용하지 않아 성벽 밖에 매장할 수밖에 없었다. 공교롭게도 매장 문화는 기독교인들과 잘 어울렸는데 초기 기독교인들은 돈이 없던 서민이나 노예계층이어서 화장이 어려웠던 점, 그리스도가 실제로 아마 천 담요에 싸여 바위 속 굴에 매장되었다는 점, 내세를 믿기 때문에 시신의 소각하는 것에 꺼림칙했던 점 등 때문이다.

기독교 교세의 확장과 교인의 급속한 증가로 인해 매장공간은 점차 부족하게 되었고, 결국 지하로, 지하로 더 많이 들어가게 되었다. 다행히 로마 주변 응회암 토질은 젖어 있을 때는 손으로 팔 수 있을 정도로 무르지만 공기에 노출되면 점점 경화되는 성질이라 무덤을 만들기에 좋았고, 사람들은 깊숙이 깊숙이 땅을 파고 구멍을 내 시신을 묻게 되었다.

로마에서 시신이 묻힌 곳은 성스럽고 침입할 수 없는 성소(sanctuary)였기에, 오히려 박해를 받던 기독교인들은 점점 더 묘지 주변에 지하 미궁을 만들고 피신하기 시작했다. 박해가 심해질수록 교인은 기하급수적으로 순교했고 성인도 대량으로 생겨났다. 로마 대화재 이후, 사도 베드로와 사도 바오로가 순교했고, 비오크라테우스 황제 시기에 성 세바스티아누스가 화살을 맞고 순교했다. 이들 죽은 성인은 카타콤베에 매장되었고, 생존한 기독교인은 카타콤베 근처에 살았다. 폴리도리에 의하면 지하 묘지들의 총 연장길이는 대략 900킬로미터였고, 3백 년의 세월 동안 무려 6백만 명이 매장되었다고 한다. 카타콤베는 '죽은 자들의 도시(네크로폴리스, necropolis)'였다. 보통사람은 무서워 가지 않았고 병사들도 굳이 쫓지 않았다. 카타콤베는 사실상 공개된 안가였다.

카타콤베 내부는 공기가 희박하고 너무 건조하여 대규모 인원이 거주하기에는 부적합하다. 지하에 길은 많이 뚫어 놨지만 실제 거주를 위한 공간은 거의 없고, 기독교 신자들도 사실 하루 이틀 긴급하게 대피할 때만 사용했을 것이다. 지하 갱도는 횃불을 들기에 너무 좁아 호롱불만 들 수 있었다. 신자들은 길을 외우고 있었으니 어려움이 없었지만, 혹여라도 체포하러 들어온 병사가 깊은 미로 속에 길을 잃고 어둠 속에서 죽음을 마주하고 있을 때 극적으로 구출되어서 개종한 사람이 많았을 것이다.

콘스탄티누스의 기독교 공인 이후에는 기독교인들도 지상으로 나와 따뜻한 햇볕을 마주했고, 지하 공동묘지는 교회 재산이 되어 바티칸 관할의 여러 수도회로 배분되었다. 다만 기독교 공인 후에도 카타콤베는 수난과 약탈의 운명을 피하지 못했다. 원래 로마인들은 무덤에 고인이 평소 지니던 귀한 물건도 같이 넣어주는 장례 풍습이 있었는데, 빈번한 이민족의 침입으로 카타콤베 내부의 귀중한 자료와 보석 등이 훼손되고 도난당했다. 로마 멸망 이후 거의 다 도굴되었다고 봐도 무방한 것이, 어떤 지하 묘지에 가봐도 관 뚜껑이 남아 있는 곳을 찾기 힘들 정도였다. 이민족의 등쌀에 못 이기고 기독교인들은 카타콤베에 남아 있던 성인과 순례자들의 유골, 유물을 도시 안으로 이전하기 시작했다. 유물이 대부분 이전된 이후, 기독교인들도 더 이상 카타콤베를 찾지 않았고 카타콤베는 현대에 발굴될 때까지 역사에서 점점 잊혀 갔다.

카타콤베에 매장하는 방식은 사람이 겨우 누울 정도의 벽감에 시신을 안치하고 부장품을 채우고 석판으로 벽을 메우는 식이었다. 석판에는 이름, 순교일자, 묘비명을 썼다. 그나마 부유한 사람들은 대리석으로, 가난한 사람들은 일반 기왓장으로 석판을 삼았는데, 석판 수요가 늘어나가 석판을 대량생산하는 공장이 생겨났고 이 중 상표를 찍어내는 공장이 생겼다. 이 상표는 스타벅스 로고와 비슷한 원형 스탬프인데, 성 칼리스토 카타콤베 출구 쪽에서 이 상표 스탬프를 볼 수 있다. 시신을 안치한 일부 석관 모서리에는 맹수들이 조각되어 있었는데 많은 수가 도굴되어 건물 장식으로 쓰였고, 석관 자체도 로마 귀족들이 가져다가 수조, 화분, 화단 등으로 활용했다. 땅 파다가 우연히 나온 도자기를 밥그릇으로 사용했던 경주 사람들을 보는 것 같다. 기독교인들은 가족과 함께 최후의 심판의 날을 맞기 위해 아치형의 단란한 가족방을 만들었고, 영유아 시신들을 위해 아기묘도 만들었다.

각 매장 칸 옆에 기독교인을 암시하는 암호를 새겨 넣었다. 양을 짊어진 착한 목자, '크리스토스'라고 읽혀 '그리스도'를 상징하는 중첩된 X자와 P자, 신앙을 표현하는 닻, 처음과 끝을 상징하는 '알파'와 '오메가', 비둘기, '익투스(고대어 약자로 하느님의 아들 예수 그리스도라는 뜻)'와 발음이 비슷한 '물고기', 평화를 뜻하는 라틴어 '인파체' 등이다. 때로는 벽화로 성화도 그렸는데, 예를 들어 선지자 요나나 이사야를 그리기도 하고, 영혼이 하늘로 올라간다 하여 물결선 모양을 그리기도 했다. 5세기까지 우상숭배라고 하여 그리스도의 얼굴을 그리지 않았는데, 6, 7세기부터는 그리스도의 얼굴도 그렸다. 카타콤베에서 발굴되는 석관, 성유담, 금채색의 유리메달도 중요한 가치가 있지만, 특히 벽화는 도상학의 발전 과정을 보여주는 귀중한 자료이다. 최초에는 미적인 대상으로 과실수, 그리스 신화, 동물, 풍경 등을 묘사하다가, 시간이 지날수록 기독교의 상징인 선한 목자, 사도, 성인, 성서의 설화 등이 소재로 등장한다. 마치 어린아이일 때는 구체적이고 가시적인 것만 이해하다가 지능이 자랄수록 추상적이고 상징적인 것을 이해하는 것과 같다.

성 칼리스토 카타콤베의 기원은 아우렐리우스 황제 시기로 거슬러 올라간다. 명문 집안에서 나고 자란 성녀 체칠리아는 순교하면서 집안의 토지를 교회에 기증하였다. 교황 제피리우스는 부제 칼리스토에게 묘지 관리를 맡겼는데, 칼리스토는 차기 교황이 되었고 그 자신이 이 카타콤베에 묻혀 그 이후로 성 칼리스토 카타콤베가 되었다. 성 칼리스토 카타콤베는 3세기 때부터 기독교 공식 묘지로 지정되어 폰티아누스, 파비아누스, 식스투스 2세 등 초기 교황 13명이 모두 묻혔다. 현재 폰티아누스를 제외한 모든 교황의 시신은 베드로 대성당 지하로 이전되었다. 성녀 체칠리아의 모습은 현재 칼리스토 카타콤베 한 칸에 남아있다. 당국은 체칠리아를 뜨거운 욕탕에 넣어 사형시키려고 했는데, 증기 속에서도 죽지 않자 참수되었다. 그녀는 죽는 순간까지 성가를 불렀다고 하여 음악의 수호성인이 되었다. 체칠리아는 삼위일체를 의미하도록 왼손가락 3개를 붙이고 오른손을 땅을 가리키며, 옆으로 눠어 천으로 얼굴을 가리고 매장되었다. 1500여 년 후 체칠리아의 시신을 발굴했을 때, 그녀의 시신은 썩지 않고 깨끗했다고 한다.

아쿠아 클라우디아 수도교를 경유하여 트레폰타네 성 바오로(St. Paulus alle Tre Fontane) 성당으로 향한다. 사도 바오로가 참수당한 이후, 성당이 건립된 곳이다. 네로 치하 로마에서 기독교 박해는 극에 달했다. 전차경기장 옆 처형장에서는 낮에는 십자가형을 집행하고 밤에는 화형을 집행하여 경기장 불을 밝혔을 정도였다. 사도 바오로는 네로 치하 로마에서 순교하였다. 십자가형을 받은 그리스도나 베드로와는 달리 로마 시민이었기 때문에 참수형으로 처형되었다. 사도 바오로는 죽기 직전까지 당당하게 지상에서 자신이 할 일을 다했기 때문에 담당하게 죽기를 기다리는 모습이었다. 참수될 때 떨어진 목이 3번 튕겼으며, 튕긴 자리마다 샘이 솟았다고 한다. 이곳이 3개의 샘의 성당, '트레폰타네'이다.

기독교인들은 로마의 다신교인뿐만 아니라 유대인들로부터 지독한 증오를 받았다. 원래 유대교와 이슬람교는 뿌리가 같고 교리가 비슷하다. 태초에 하느님이 선택한 민족, 선민 아브라함이 있었다. 아브라함은 본처와의 사이에서 자식이 없었고, 하느님께서 점지해 주셔서 일흔이 되던 해 후처로부터 아들 이스마엘을 얻었다. 이후 100세가 되던 해 본처로부터 아들 이삭을 얻었다. 물과 음식이 부족한 땅 광야에서 형과 동생은 사이좋은 관계로 남을 수 없으며, 유목민의 풍습에 따라 장자 이스마엘은 양식을 받아 먼 곳으로 떠나게 된다. 장자 이스마엘의 후손이 이슬람교를 믿는 아랍인들이고, 차남 이삭의 후손이 유대인들이다. 아브라함의 뿌리로부터 내려온 두 갈래 민족은 만날 수 없는 평행선을 달리면서, 평화와 갈등 사이에서 줄타기하며 살아가고 있었다. <은하수를 여행하는 히치하이커를 위한 안내서>에 따르면 그리스도는 '이제 그만 싸움을 멈추고 사이좋게 지내보면 어떻겠냐는 주장을 했다가 십자가에 못 박힌 사람'이다. 두 민족이 있던 세상에 갑자기 예수 그리스도가 나타났다. 그리스도는 아브라함의 자손이 아닌 사람들도 좀 같이 천국 좀 들어가자고 한다.

기독교인들에게 그리스도는 구원자 메시아이다. 이는 유대인 교리와 정면충돌한다. 유대인들은 정통성에 죽고 사는 사람들이다. 아직 세상에 메시아가 오지 않았다고 믿는다. 메시아가 온다면 최후의 날 유대인들만 구원받기로 믿고 있었는데, 갑자기 예수란 놈이 전 인류를 구원한다고 하니 처음엔 '미친놈' 하고 비웃었다. 하지만 점점 그 커지는 세력에 미울 수밖에 없다. 한편으로 또 유대인들은 특유의 성실성과 근면성으로 원래 로마에서 부와 권세를 거머쥐고, 많은 공무원도 배출했었다. 하지만 기독교인들도 만만치 않게 성실한 데다, 공동체와 화합을 중요시한다. 다신교 주의의 로마인들에게 기독교인들은 그저 고집 센 정신병자들이었던 반면, 유대인들에게 기독교인들은 현세에서나 내세에서나 밥그릇 뺏으러 달려드는 좀비들이었다. 대결 상대를 맞닥뜨리자 유대인들은 기독교를 가장 심하게 탄압한다. 유대인 바리사이파 사울도 예외는 아니었다.

사울은 서남아프리카 '길리기아'의 '다소'에서 태어났다. '다소'는 발달된 중개무역 도시였으며, 사울은 이법, 율법에 밝았고, 다양한 언어를 구사했다. 속지에서 태어났으나 엄연한 로마 시민이었으며, 수준 높은 그리스 문화를 접하고, 고명한 유대교 율법학자 가믈리엘의 제자로서 교육받아왔다. 성인이 된 사울은 로마의 공무원이 되어 정통 바리사이파로서 기독교인들을 탄압하러 다마스쿠스로 진압에 나선다.

사울은 여정에 갑자기 나타난 큰 빛으로 인해 말에서 굴러떨어졌다. 처음에는 믿을 수 없는 경험에 자신이 점지받았다는 사실을 완강히 부정하였다. 그러나 또다시 나타난 그리스도의 현시를 경험하고 3일간 실명 상태가 되었다가 결국 소명을 받아들이고 기독교로 개종하였다. 그는 기독교 진압을 위한 여정을 틀어 역으로 기독교 전도를 위해 3회에 걸쳐 선교여행을 한다. 어제까지는 기독교를 쫓는 관리였으나, 오늘부터는 기독교를 전파하는 사도가 되었다. 사울은 로마에까지 그 발자취를 남기고 수많은 소수민족에게 그리스도를 전파한다. 그는 훗날 사도 베드로에 버금가는 사도, 양대사도, 맞사도가 되었다. 신약성서 사도행전에 그 기록이 남아 있으며, 그의 사도명은 바오로이다.

사도 바오로는 기독교를 전도하면서 옥에 갇히는 등 많은 시련과 난관이 있었으나, '이방인의 사도'로서 사명을 다 했다. 그가 어렸을 때 익힌 학식은 전도에서 더욱 빛을 발하여 초기 기독교의 기반을 닦았다. 로마, 고린토, 갈라디아, 에페소 등 그가 전도한 지역과, 개인적인 친분이 있던 디모데오, 디도, 필레몬 등에게 보냈던 신앙의 조언과 충고를 담은 편지가 13통의 서간으로 구성되어 신약성서의 일부로 포함되었다. 사도 바오로는 초기 기독교에서 가장 명석한 신학자였고, 가장 열렬한 전도자였으며, 기독교가 세계에 전파되는 데 중추적 역할을 한 개국공신이다. 기독교 신학의 체계를 잡았고, 성서의 기반을 닦아 후세에 끼친 영향을 헤아릴 수가 없다. <왕국>(엠마뉘엘 카레르)은 평범한 아재 같지만 정열적이고 계획적으로 해야 할 일을 걱실걱실 해나가는 바오로의 모습을 그려 기독교가 바오로에게 진 빚을 보여준다. 기독교가 오늘날에 이르는 전파력과 장악력을 지니게 된 데에는 열두 사도를 포함한 초기 기독교 성인 그 누구보다도 바오로의 역할이 컸다는 것이다.

바오로는 자기 객관화와 주제 전달력이 뛰어났다. 그는 참회와 개종을 통해 교인이 된 자신의 특이성과 그로부터 사람들에게 줄 수 있는 교훈을 명확하게 이해하고 있었으며, 그 메시지를 효율적으로 전달한다. 바오로의 서신 속에서 전개된 그의 사상을 보면 그리스도의 죽음과 부활의 신비를 중심으로 하고 있으며, 그리스도를 닮아야 할 우리 인간이 우선 죄지은 인간으로서 죽었다가 새로운 인간으로 태어나야 한다고 한다. 사도 바오로는 자기 스스로 그것을 실천하였고, 회개를 통한 신앙을 몸소 보여주었다.

오늘날 트라폰타네 성 바오로 성당은 트라피스트 수도회의 관할이다. 트라피스트 수도회는 맥주가 유명한데, 그 역사가 싶다. 이슬람교의 '라마단'처럼 트라피스트 수도회는 철저한 금욕주의를 표방하는 터라 중세시대부터 금식기도를 실시했다. 해가 지면 유동식을 섭취하는데, 빵을 물에 담가 흐물흐물해지면 먹는 방법을 고안했다. 여름에는 높은 온도와 습도로 인해 빵을 담가 놓은 물이 발효되며 에일맥주가 생성되었다. 알코올이 평균 4, 5도인 라거맥주와 달리 에일맥주는 평균 9, 10도로 강하다. 트라피스트 맥주는 벨기에, 독일 등 전 세계 8곳에서만 브랜드를 붙이고 판매된다. 우리나라에서는 한 병에 만원이 넘는 금액이지만 이곳 성 바오로 성당에서는 약 3, 4유로 정도 한다.

DAY 4 로마 버스 투어

## 죽 쒀서 개 줘도 괜찮다

투어팀은 다시 로마 시내로 돌아와 트레비 분수로 향했다. 트레비(Trevi)는 3개의 길이 만난다는 뜻이다.

트레비분수는 전 세계에서 돈을 가장 많이 버는 분수이다. 동전 1개를 던지면 로마로 다시 돌아오고, 2개를 던지면 사랑을 만난단다. 동전 3개는 설이 분분한데, 사랑하는 사람과 결혼한다, 아니면 이혼한다는 말도 있는데, 원래는 일생에 단 한 번 행운이 찾아온다고 한다. 결혼 또는 이혼이 행운이긴 한가보다. 실제로 이탈리아에서는 잘 이혼하면 행운이라고 한다고 한다. 가이드 설명에 따르면 이탈리아에서는 이혼하면 남편이 부인 측에 전 재산을 다 주어야 한단다. 아마 더 부유한

쪽이 덜 부유한 쪽에 그러는 것이겠지만, 아무래도 보편적으로 남편이 더 부유하기 때문인 것 같다. 아이가 있다면 부인이 재혼해도 위자료를 계속 주어야 한단다. 사실인지 아닌지 모르겠지만 이혼 또는 사별을 몇 번씩 거치면서 갑부가 되었다는 노부인의 설화가 흘러 다니는 것을 보면 아무래도 남편의 돈이 아내에게 가기는 가는 것 같다. 청춘남녀가 만나 순애보 같은 사랑을 하는 것도 아름다운 삶이겠으나, 남편과 헤어진 뒤 천문학적인 돈을 가지고 자유로운 삶을 사는 여인도 어찌 보면 부러운 삶이라고 할 만하다. 어쨌든 트레비 분수는 하루 3천 유로를 번다고 한다. 1유로로 따지면 3천 명이라는 셈인데, 아무리 봐도 관광객이 더 많이 찾는 것 같으니 1인당 50센트씩 던지나 보다. 로마는 트레비 분수의 수입을 유니세프에 기부한다고 한다.

트레비 분수는 폴리(Poli) 궁전을 장식하기 위해 교황 니콜라우스 5세가 추진하여 교황 클레멘스 13세 때 완공했다. 수원지는 로마로부터 22킬로미터 떨어진 '처녀의 샘'인데, 기원전 19년 건설된 아쿠아 비르고 수도교를 통해 끌어온다. 당시 아그리파 장군이 원정을 마치고 복귀하면서 갈증에 시달리는 부하들을 위해 근처에서 식수를 찾아봤는데, 한 처녀가 샘을 알려주었다고 한다. 그리하여 처녀의 샘이라는 이름이 붙었다. 예전에는 전쟁에서 생환한 병사가 트레비 분수에서 물을 마시고 물컵을 깨면 다시 전쟁에 나가도 살아 돌아온다는 전설이 있었다고 한다. 왕건도 그렇고 아그리파도 그렇고 옛날 설화 속의 샘 옆에는 항상 아낙네와 수양버들이 서있어야 하나 보다.

트레비 분수를 건립할 당시 오른편 거리에 이발소가 있었다. 여느 이탈리아인들처럼 간섭과 잔소리가 심했던 이발소 주인양반은 분수 건립과정을 하루하루 지켜보며 이리 해라, 저리 해라 훈수를 두었다. 공사 감독은 이발소 앞에 거대한 항아리를 두어 이발사의 시야를 피했다. 분수가 나오는 벽감 조각 중앙에는 마차를 타고 있는 바다의 신 넵튠이, 그 양 옆으로 건강과 풍요의 여신상이 있다. 아래쪽 양편에는 말을 다루고 있는 두 개의 트리톤 상이 있는데 왼쪽은 거친 바다를 오른쪽은 잔잔한 바다를 상징한다. 이 구도는 캄피돌리오 광장 로마시청의 미네르바 분수와 비슷한 구도이다.

그리스 신화에 보면 어떤 도시의 이름을 정하기로 하면서 아테나와 포세이돈이 경합한다. 포세이돈은 삼지

창을 땅에 꽂아 샘을 만들며 사람들에게 영원한 물을 주겠다고 했고, 아테나는 올리브가지를 꽂으며 비옥한 땅을 주겠다고 한다. 어차피 사람이 사는 곳은 땅이니 시민들은 아테나를 선택했다. 도시 이름은 '아테네'가 되었다. 이후에 로마도 미네르바를 도시의 수호 여신으로 삼았다. 아테나는 도시 복이 많은 것 같다.

또 어느 일설에 따르면 메두사가 미인이던 시절이 있었다. 이 설에서 메두사는 원래는 딸 부잣집 셋째 딸로서 아테나에 버금가는 미인이었고, 포세이돈은 메두사와 서로 사랑하는 사이였고, 아테나는 포세이돈을 짝사랑했다고 한다. 설정만 봐도 무시무시한 삼각관계이다. 포세이돈은 하고 많은 곳 중에 아테나 신전에서 메두사와 사랑을 나누었고, 분개한 아테나는 그 사태를 계기로 메두사에게 뱀 머리카락과 돌이 되는 레이저 눈의 저주를 내렸다. 그걸로도 모자라 아테나는 아폴론과 협잡하여 페르세우스로 하여금 메두사의 목을 자르게 했다. 여인의 복수는 적당을 모른다. 하긴 이 정도쯤 되어야 아테나가 단순히 미모를 질투해서 뱀으로 머리를 뒤덮고 사주 척살했다는 이야기보다는 논리적이다.

어쨌든 소 잃고 외양간 고치기로 한 포세이돈은 메두

사의 죽음을 슬퍼하며 메두사의 목에서 뿜은 피로 페가수스를 창조했다. 그러고도 여전히 포세이돈과 아테나 사이가 서로 냉랭했다는 것으로 보아, 포세이돈은 아테나에게 절대 마음을 주지 않았던 것 같다. 하긴 나 같아도 소름 돋겠다. 아니면 아테네시를 빼앗긴 포세이돈의 지질한 질투였을지도 모른다. 아니면 메두사를 재물 삼아 아테나를 분노케 하려던 포세이돈의 사이코패스적 계획이었을지도 모른다. 여하간 아테나는 인류 문화사를 통틀어 가장 사랑받고 가장 안티가 없고 가장 땅복(도시)도 많았지만, 애정운은 젬병이었나 보다. 어쩌면 너무 이성적이면서 매정한 모습에 큐피드도 학을 떼고 도망갔는지 모른다. 결론적으로 오늘날 로마에 있는 아테나(시청사)와 포세이돈(트레비 분수) 중에는 단연코 포세이돈이 인기가 많다.

트레비 분수를 벗어나 스페인 광장으로 향했다. 스페인 광장에는 스페인 계단이 있고 계단을 따라 언덕을 올라가면 성 삼위일체(트리니타 데이 몬티, Trinita dei Monti) 성당이 있다. 과거에 이 언덕 인근을 관할하는 소관은 프랑스였다. 프랑스는 15세기부터 와인 생산지였던 이 언덕을 매입하고 수도원과 성당을 건립하였다.

이곳에서 실제 와인을 생산했었는지는 모르겠지만, 프랑스가 와인 생산지를 매입했다는 데에서 신뢰도가 올라갔다. 이후 성당이 있는 언덕과 아래쪽 광장을 연결하는 계단을 건립했다. 일설에는 언덕에 풀이 우거져서 풀숲에서 은밀한 행각들이 많이 발생했고, 수도원에서 수련하는 사제들이 민망함에 수치스러워했다고 한다. 그리하여 프랑스 교민들이 십시일반 돈을 모아 풀숲을 밀어버렸다. 어떤 곳이든 눈에 잘 띄지 않는 곳은 오염되는 법이고, 어떤 시설이든 계기 없이는 만들어지지 않는 법이다. 계단을 만들고 나자 프랑스인들은 이번에는 계단 꼭대기에 태양왕 루이 14세의 기마상을 건립하고 싶어 했다. 하나 하느님의 성전인 성당 앞에 감히 일개 왕의 동상을 만드는 것은 허락되지 않았다. 포기하지 않는 프랑스인들과 허락하지 않는 교황청 간의 타협안으로 그곳에 있던 오벨리스크에 교황 인노첸티우스 13세 가문의 문장인 바둑판무늬의 독수리와 부르봉 왕가의 상징 붓꽃을 같이 새기기로 했다. 그리하여 이 계단과 광장의 물주는 프랑스가 되었다.

그러나 이 인근에 '주 바티칸 부르봉 스페인 대사관'이 있었던 것이 함정이었다. 바티칸 시국은 협소한 공간

탓에 전 세계 국가에서 파견한 교황청 대사관을 둘 수 없다. 애초에 교황청을 담당하는 별도의 대사관까지 두어야 할 정도로 외교관계가 다망한지, 그 이유를 잘 모르겠지만 말이다. 이에 대부분의 나라들은 바티칸 시국 밖 로마 시내에 주이탈리아 대사관과 별개로 주교황청 대사관을 둔다. 특히 스페인 광장 주변에 대사관들이 많은데, 그중 스페인 대사관이 광장과 계단 명칭의 주인이 되었다. 이것이 바로 죽 쒀서 개 준다는 상황 아닐까.

주교황청 대한민국 대사관의 설명에 따르면, 로마 시내에 설치된 각국 대사관은 91개이다. 바티칸과 수교를 맺은 국가는 183개, 바티칸에 외국에 세운 해외공관은 127개라고 한다. 전 세계 신자는 13억 명이라고 하니, 인구 면에서는 세계 1, 2위를 다투고, 외교력 면에서는 우리나라와 비등비등한 국가인 셈이다. 하긴 과거에는 파문과 면벌부로 일개 국왕 따위는 아무것도 아닌 것처럼 사람들을 벌벌 떨게도 만들었다. 지금은 국방도, 경제권도 없이 신앙 하나에 기대어 이렇게 커다란 조직 아닌 조직을 거느릴 수 있다니, 이해가 될 듯 안 될 듯 알쏭달쏭하다.

스페인 광장에는 물고기를 닮은 조각배 모양의 분수

(폰타나 델라 바르카치아, Fontana della Barcaccia)가 있는데, 잔 로렌초 베르니니의 아버지 피에트로 베르니니가 만든 작품이다. 테베레강 홍수 때 사람들을 구조하던 작고 바닥이 평평한 보트가 물에 빠진 뒤에 발견되었던 모양에서 착안했다. 과거에는 배 위쪽에 있는 구멍에서 나오는 분수는 사람들이 식수로 먹고, 배 아래쪽에 고인 물은 말이 먹도록 했었다.

스페인 계단은 오드리 헵번이 아이스크림을 먹던 장소로 유명하지만 이제는 먹지 못하게 되었다. 오염도 문제고, 소매치기도 문제라고 한다. 프랑스의 사이요궁과 쌍벽을 이룬다고 한다. 실제로 인터넷상에 스페인 계단에서 집시들의 강매 수법에 대해 많은 후기들이 올라와 있다. 신사인 척 다가와 장미꽃을 손목에 끼우고는 돈을 요구한다든지, 어디서 왔느냐 친근하게 물어보면서 접근한다든지, 이야기로 들으면 뻔한 이야기지만 실제로 겪으면 당황할 수 있을 만한 후기들이 많다. 이제 스페인 계단에 대한 프랑스의 기여라든지, 오드리 헵번의 아이스크림을 기억하는 사람은 별로 없고, 소매치기를 생각하는 사람이 많아진 것 같아 오히려 프랑스가 입방아에 오르내리지 않는 것을 다행으로 생각할 것 같다. 죽 쒀서 개 줘도 나쁘지 않은 것 같다.

대사관도 많고, 유행을 좇는 사람도 많고, 고위급 출장객도 많으니 이 인근에 당연히 명품상점, 고급호텔과 카페도 많다. 괴테와 바이런이 즐겨 찾았던 '안티코 카페 그레코'도 있단다. 인근 골목에 티라미수 맛집 '뽐삐(Pomppi)'가 있는데, 명실상부 맛집이다. 그동안 먹어본 바에 의하면 티라미수라는 케이크는 스펀지케이크에 커피시럽 붓고 코코아 가루 뿌린 것이라고 알고 있었는데, 뽐삐 티라미수를 먹고서는 티라미수는 케이크가 아니라는 것을 알게 되었다. 케이크도 아니고 푸딩도 아니고 크림도 아니다. 티라미수는 티라미수다. 티라미수는 '끌다'(티라레, tirare)+'나'(미, mi)+'위'(수, su)의 합성어로, 영어로 치면 Cheer me up, '나를 끌어올리다'라는 뜻이라는데 어쩜 이렇게 이름도 잘 짓고 맛도 잘 지었는지 모르겠다. 개발도 1960년대 와서야 했다는데, 그 긴 시간 동안 크림치즈, 커피, 코코아를 섞을 생각을 왜 못 했을까. 옥수수, 치즈, 버터라는 재료를 갖고도 콘치즈라는 걸 못 개발한 외국인들의 부족한 상상력을 새삼 떠올리게 한다. 로마에서의 마지막 날 밤에 티라미수와 함께 행복을 깨달았다.

로마를 떠날 시간이 가까워진다. 많이 보고 많이 들었지만, 여전히 아쉬움이 남는다. '다음번을 기약한다'는 말을 누가 처음 썼는지는 모르겠지만 가장 적확한 문구 경연대회가 있다면 당연히 우승권이었을 것 같다.

DAY 5 피렌체

# 각성한 갑부는 얼마나 강한가

오늘 로마를 떠나 피렌체로 향한다. 고속열차로 10시 반경 로마를 출발하여 12시경 피렌체에 도착했다. 피렌체는 로마와 바다 건너 다른 나라인 것처럼 분위기가 다르다. 고대에서 순식간에 르네상스로 접어들었다. 날씨는 크리스마스 오후가 실감 안 날 정도로 꿀꿀한 날씨이다. 이슬비도 간간이 흩뿌리고, 음울하고 묘하다. 로마가 열정적이면서도 천진난만한 음악가 같은 느낌이라면, 피렌체는 고독하고 사색적인 철학가 같다. 민박집에 짐을 풀고 거리로 나서는데 여행자들인지 주민들인지 사람들이 바글바글 분주하다. 음식점이고 마트고 온통 문을 걸어 잠가서 사람들이 다들 밖에서만 서

성거리나 보다. 눈에 띄는 크리스마스마켓도 없다. 피렌체는 한 개의 중앙로 주변으로 명소가 모두 모여 있을 정도의 작은 규모이다. 구도심 내에 자동차가 다니지 않아 중앙로만 쭉 따라가면 아르노강에 이르기까지 거의 모든 곳을 다 볼 수 있다. 도심으로 가는 초입에 메디치 리카르디 궁전이 보였다.

메디치 리카르디 궁전은 코시모 데 메디치 시절에 건립한 피렌체 최초의 르네상스 건물이다. 원래 건축 대가 브루넬리스키가 가문의 위용에 걸맞은 화려한 설계안을 제안했으나, 지나치게 화려하고 사치스러운 저택이 민중의 시기만 조장할 것이라고 내다본 코시모는 미켈로초 디 바르톨로메오의 검박하고 무색무취인 설계안을 선택한다. 천문학적인 부를 축적했으면서도 세간의 관심을 의식하고, 공공성에 부응하려고 전략적 선택을 하는 거부의 모습은 오늘날에는 좀처럼 보기 힘들다. 스놉효과네 베블런효과네 하고 사치를 합리화하는 현대사회의 코미디를 비웃는다. 미켈로초의 설계는 단순하고 간결한 입방체로, 다만 일종의 장식이 있다면 세 개 층마다 다른 형태의 벽면과 창틀로 마감했다. 지상층의 회랑(loggia)으로 둘러싸인 중정에는 단아한 정원이 꾸며져 있어 메디치가가 주름잡을 당시 경제활동이 활발히 이루어지고 대중이 회합했던 모습을 상상하게 한다. 다만 소박하고 무미건조한 모습은 단지 외관일 뿐이고, 그 내부는 메디치가 쓸어 모은 수집품과 고급스러운 벽화, 천장화로 가득 채워 부와 위세를 그대로 담아냈을 것이다.

1444년 메디치궁전에 터를 잡은 메디치가는 1494년 기롤라모 사보나롤라의 반란으로 메디치궁전과 가구 및 수집품 등을 시에 압수당했다. 이후 1512년 복귀하여 건물 중정에 대포를 설치하고 회랑을 폐쇄함으로써, 더이상 시민들에게 문을 열어주지 않았다. 1540년 코시모 1세가 신축한 베키오 궁전으로 이주함으로써 공실이 된 메디치궁전에 1659년 리카르디 가문이 입주한다. 그리하여 저택의 명칭은 메디치 리카르디 궁전이 된다.

메디치 가문은 14세기 말 피렌체 공화국의 공직에 입직하면서 역사에 등장하였다. 이후 교회와의 거래 등을 통해 부를 창출하기 시작하여, 조반니 디 비치 때에 이르러 메디치 은행을 설립하고 피렌체의 참주를 차지한다. 피렌체의 '국부' 코시모 데 메디치 시대에는 유럽 곳곳에 도시은행을 설립하고, 막대한 부를 사회, 교육과 학예에 투자하였다. '위대한 자(Il Magnifico)' 로렌초 데 메디치 시대에 가문과 도시의 번영은 절정에 달했다. 로렌초의 외교적 수완 덕분에 피렌체는 이탈리아 정치의 중앙무대를 장악하였고, 피렌체의 그리스 아카데미에는 전국의 손꼽히는 학자들이 몰려들었다. 그 이면에 교회와 다른 귀족들로부터 메디치 가문에 대한 질투 역시 극에 달했다. 로렌초에 대한 암살은 미수에 그쳤지만, 그의 동생 줄리아노는 실제 비참하게 암살되는 등 위협이 항상 도사리고 있었다. 16세기 코시모 1세는 시에나를 합병하고 토스카나 대공국을 수립하여 초대 토스카나 대공이 되었으나, 18세기 7대 대공 잔 가스토네가 후계자 없이 사망하고 신성로마제국 황제 프란츠 1세가 토스카나 대공 지위를 겸하게 되면서 메디치 가문의 대공 지위는 사라졌다. 이후 코시모 3세의 딸인 안나 마리아 루이사 데 메디치가 죽으면서 가문은 단절되었으나, 가문의 수집품들을 피렌체 외부로 반출하지 않는다는 조건으로 저택과 모든 재산을 피렌체에 기부한 덕분에 오늘날 우리가 500년 전 갑부집을 구경할 수 있는 호사를 누리게 되었다.

메디치는 평범한 중산층 가문에서부터 성장하여 금융업을 재패하고 피렌체의 번영과 발전을 이룩하였다. 400여 년간 전쟁과 혈투가 아닌 경제와 학문, 문화의 힘으로 피렌체를 당대뿐만 아니라 역사상 최고의 도시로 발전시켰다. 겨우 싹이 나고 있었던 르네상스는 피렌체에서 화려하게 꽃을 피웠다. 코시모 데 메디치는 르네상스의 개화를 주도했는데, 미켈로초, 도나텔로, 프라 안젤리코 등 유수의 예술가들이 이때 배출되었다. 로렌초 시기에 이루어진 레오나르도 다빈치의 발굴, 보티첼리와 미켈란젤로에 대한 후원은 위대한 메디치가 인류에 선사한 선물이다. 르네상스는 인간사를 재단하는 기준, 인간이 다루는 만물의 중심을 인간 외적인 것, 신으로부터 인간 내적인 것, 인간 본연으로 회귀시킴으로써 과학, 철학 등 학문과 음악, 미술 등 예술을 정상화하였다. 암흑의 중세를 끝내고 혁명의 근대를 열었다. 르네상스가 있었기에, 산업혁명과 기술혁명이 가능했고 인류 문화가 절멸의 위기를 극복하고 다시 부활하게 되었다. '르네상스'란 '회복'이라는 뜻이지만, 인류에 미친 공헌 측면에서 사실상 '부활'이라 보는 것이 적절할 것 같다.

메디치가는 대대로 사업수완과 치밀한 전략으로 부를 쌓아 올리는 데 탁월한 능력이 있는게 틀림없다. 돈 버는 재미가 다른 모든 것보다 강하다는데, 메디치가는 돈 냄새를 기막히게 맡을 뿐만 아니라 돈 버는 일 자체를 행복해하는 유전자가 심겨 있는 것 같다. 돈을 사랑하는 것은 과거나 현재의 부자들이 다 똑같지만, 메디치가가 특별한 점은 경제력을 철저히 수단으로 인식했다는 점이다. 메디치가는 막연히 부를 창출할 수 있는 능력을 떠나 그 부를 바탕으로 국가를 지배할 수 있는 정치력과 학문과 예술의 가치를 알아보았던 선견지명이 있었다. 메디치가에게  부란 정치와 투자를 위한 수단이었다.

메디치가 사람들은 대부분 인생을 달관한 것 같은 말을 많이 한다. 국부 코시모는 돈을 버는 것보다 쓰는 것에서 더 큰 즐거움을 얻는다고 했다. 하지만 그 쓰는 것이라는 게 예술가 후원, 아카데미 후원 등 일반인 기준으로는 전혀 소비와 사치가 아니다. 아무래도 돈 쓰는 재미는 내가 가서 한 수 가르쳐 드려야 할 것 같다. 당대 최고의 셀레브리티 로렌초도 명함에 맞지 않게 소박한 소리를 했다. “행복해지고자 하는 자들이여, 행복을 즐겨라. 내일이란 알 수 없는 것이니." 빈살만 형님이 이런 소리를 한다면 이 글귀를 금으로 새겨 넣은 머그잔이 한 개당 1억 원에 팔릴 것이다. 그래도 한편으로 사보나롤라 사태를 겪고 막장 드라마 같은 공화국 정계에서 꿋꿋이 세력을 잃지 않은 가문의 호연지기를 생각하면 이해도 간다. 돈을 계속 벌어 재끼면서도 돈에 초연했던 것도 역시 유전자의 힘인가 보다.

인간은 굵고 짧은 생을 선호하는 부류와 길고 가는 생을 선호하는 부류가 있는데, 요즘에는 사람들이 기개가 줄어들고 부의 양극화도 심해지다 보니 길고 가는 생을 많이들 선호하는 것 같다. 난세가 있어야 영웅이 나오는데 현재는 난세긴 난세인 것 같은데 영웅은 잘 나지 않는 것 같다. 나부터도 밸런스게임으로 메디치만큼 돈을 줄 테니 메디치만큼 치열하고 위대하게 살라고 한다면 거절할 것 같다. 생명이나 권력의 위협 없이, 일이든 사람이든 스트레스받을 일 없게, '오늘 자면 내일 일어나겠구나.' 소소하게 안심하며 사는 삶이 주는 행복도 꽤 괜찮은 것 같다.

DAY 5 피렌체

# 좋은 것은 역시 크게 봐야 제 맛

레푸블리카(Repubblica) 광장에 있는 유명한 질리(Gilli) 카페에서 커피와 티라미수를 시켰다. 1유로 에스프레소와 1.5유로 티라미수인데, 역시 둘 다 본고장에서 먹으니 확연히 수준의 차이가 느껴졌다. 이탈리아 사람들의 자부심을 인정해 주어야겠다. 다만 이탈리아의 카페들은 기본적으로 스탠딩으로 먹고, 자리에 앉으면 자릿세를 내야 한다. 이탈리아에서 카페는 우리처럼 사랑방 같은 역할이 아니라 가판대의 역할을 하고 있다. 한국 카페란 자고로 식욕을 해소하는 곳이 아니라 수다욕구를 해소하는 곳인데 이탈리아 카페에서는 어지간한 다리 근력이 아니고서는 용건만 간단히 말할 수밖에 없다. 모 작가는 한국의 카페가 요식업이 아니라 '초단기 부동산 임대업'이라고 하셨다. 역시 한국사람은 땅 밖에는 사고 팔게 없다. 그래도 이탈리아 커피집이 근본이네, 아니네, 장사를 잘하네, 잘못하네 하기도 무엇하다. 커피는 이탈리아가 본고장, 사실은 본고장도 아니지만 어쨌든 커피를 대중화시킨 것은 이탈리아이니 그 명색은 인정한다 쳐서 이탈리아가 본고장이라고 하나, 카페는 오스트리아 비엔나가 본고장으로서 커피와 카페 개념 사이에 간극이 꽤 있으니 커피 마시는 곳이 곧 카페라고는 할 수 없을 것도 같다. 한국은 이미 카페가 수다방을 넘어 독서실로 활용되고 있고, 노트북을 펼치며 아이스아메리카노를 마시는 것이 당연하다. 정통 이탈리아 커피집 사장님이 와서 보면 "아이고, 두야!" 하면서 뒷골을 잡을 것 같다.

조각의 회랑 로지아 데이 란치(Loggia dei Lanzi)를 돌고 있으니 빗줄기가 굵어진다. 서 있던 줄 알았던 동상이 움직이듯 온 줄도 모르게 베키오 광장에 우산장수가 등장했길래 우산 하나 달라고 했다. 중국산인데 5유로는 좀 비싼 것 아닌가 구시렁대고 있는데, 뒤에서 흘끔흘끔 보시던 중국 아줌마들께서 물으신다. "얼마래요? 어디 건데요?" "5유로인데 중국산이래요." "아니네. PRC라는데." "아, PRC란 People's Republic of China(중화인민공화국)이라는 뜻입니다." Made in China는 효력이 다 해서 이제 Made in PRC를 쓰기로 했나 보다. 5유로 주고 산 우산은 10분 정도 쓰고 산타크로체 성당에 갔더니 우산꼭지가 톡 떨어졌다. 그리고 한창 비가 몰아치던 그날 밤 수명을 다 했다. 머리를 감싸는 비닐캡에 대해 5유로를 주고 산 것은 조금 비싸기도 했던 것 같다.

인근 '옐로 바' 식당에서 마르게리타 피자와 풍기 피자를 먹었는데 맛이 좋았다. 이탈리아 음식은 대충 만들어도 맛있는 것 같다. 피렌체가 있는 지역 토스카나는 축산업이 발달했고, 피렌체에도 스테이크 맛집이 많다고 했지만 나는 굳이 스테이크를 먹지 않아도 피자나 티라미수만으로 이탈리아가 미식국가라는 것을 알 수 있었다. 세계 3대 미식에 프랑스, 중국 등을 꼽지만 내 생각에는 이탈리아(피자, 파스타, 커피), 미국(버거)이 포함되어야 한다고 본다. 프로 미식가들이 꼽기에는 희귀한 재료, 재료 본연의 맛을 잘 살린 기술, 적절한 간, 아름다운 플레이팅 등 여러 요건을 고려해서 미식을 꼽는다고 하겠지만, 상식적인 선에서 생각할 때 전 세계 어느 문화 사람 누구나 거부감 없이 쉽게 먹을 수 있는 것만큼 음식의 중요한 요건이 있을까 싶다. 그 결론은 세계 어느 나라에나 있고 그 나라 사람들도 자주 들러서 먹을 의향이 있는 음식이 곧 미식이라는 것이다. 사람들마다 맛없게 느끼는 음식은 다양하겠지만, 맛있는 음식에 있어서는 어느 정도 일관성을 가진다. 맥도널드, 버거킹, 피자헛, 스타벅스 같이 말이다.

베키오 다리까지 갔는데 크리스마스라 그런지 베키오 다리의 상점들은 다 문을 닫았다. 보석상점이라 그런지 절도 방지를 위해 하나같이 나무나 철창으로 앞을 막아놓았고, 그 가운데만 조그맣게 창문을 뚫어놔서 가게 안쪽 보석들이 희미하게 보였다.

이탈리아어로 '베키오(vecchio)'는 '오래된'이라는 뜻이다. 베키오 궁전은 舊 궁전, 베키오 다리는 舊 다리인 셈이다. 베키오 다리가 아마 아르노강에 걸친 최초의 다리였을 것이다. 과거 피렌체에서는 육지에만 세금을 매겼기 때문에, 강 위(다리)에 슈퍼마켓과 푸줏간을 비롯하여 비과세 상점들이 우후죽순 생겨났고, 그리하여 베키오 다리는 서민들의 생활터전이 되었다. 아르노강 이 편에는 베키오 궁전이 있었고 저 편에는 피티 궁전이 있었는데, 궁전의 주인 코시모 1세는 두 궁전 사이를 왕래할 때 서민들을 마주치기 싫었다. 원래 사람을 싫어하는 성격이었는지, 사보나롤라 반란의 교훈으로 민중에 회의감이 들었는지는 모르겠다. 아무튼 코시모는 건축가 조르조 바사리에게 서민들과 섞이지 않게 궁전을 왕래할 수 있도록 주문했고 이에 바사리가 베키오 다리 위로 또 다른 다리 '바사리 회랑(코리도리오 바사리아노)'을 건설한다. 그러고도 모자랐는지 코시모 1세는 지독한 냄새가 난다는 이유로 베키오 다리의 푸줏간들을 폐쇄해 버렸고, 그러자 그 자리에는 귀금속 세공점들이 입점하게 되면서 현재까지 귀금속 거리로 이어져 오고 있다.

다리 중간에 피렌체 출신 금 세공사 벤베누토 첼리니의 기념비가 있는데, 커플이 그 주변 울타리에 자물쇠를 채우고 열쇠를 강에 던져 버리면 영원히 사랑하게 된다고 한다. 이건 아마 울타리를 못 잡아먹어 안달 난 커플들의 비뚤어진 욕망 외에도 베키오 다리가 단테와 베아트리체가 처음 만난 곳이기 때문인 것 같다. 어떻게 자물쇠는 전 세계를 통틀어 사랑의 상징이 되었나 궁금하다. 철창만 있으면 자물쇠를 못 달아 안달이라니, 세계 각국을 돌아다니면 그럴싸한 곳에 자물쇠를 달아 사랑의 명소로 선전하는 사람이 있는 것 같다. 이해관계자들에게 뒷돈을 받고 말이다.

여담으로 벤베누토 첼리니의 본업은 금세공이 아니라, 왕은 물론 교황도 사랑한 뛰어난 화가이자 조각가였다. 로지아 데이 란치에 있던 <메두사를 참수한 페르세우스>가 그의 위대한 작품이다. 여기에 멈추지 않고 궁정 음악가로서 플루트를 연주했으며, 군인으로서 적장인 부르봉 공작을 사살했다. 이 정도면 탈휴먼급의 다각적 재능을 가진 것이 아닌가 생각되는데, 또 재능과는 별개로 형제에 대한 복수로서 사람을 죽인 데다가, 화려한 여성 편력을 자랑하면서도 남색까지 밝혔다. 현대사회에 태어나서 부캐 부자로 유튜브를 찍었어야 하는 인재다. 말년에는 결국 종교의 길로 들어서는 듯 했으나 이 또한 연막이었고, 수도사 서약을 파기한 후에는 자서전을 써서 자비로 출간했다. 아무래도 관종이 조용히 사는 것은 불가능한 것 같다. 그의 장례식에는 온갖 유명인사들이 서로 입장하려고 밀쳐댔다고 한다. 이게 과연 한 명의 인간이 다 소화할 수 있는 인생의 내용인지 모르겠지만, 어쨌든 그 덕인지 오페라의 소재가 되었을 정도이다. 베키오 다리의 보석상점들마다 '첼리니 골드'라고 슬로건을 내걸었던데 세공사로서의 첼리니를 추모해서 그런가 보다.

피렌체도 2차 세계대전 당시에 전쟁의 포화를 피할 수는 없었는데, 다행히 베키오 다리 폭파는 면했다. 나치군이 피렌체에서 퇴각할 때, 다른 모든 다리를 파괴했지만 베키오 다리만큼은 보존했기 때문이다. 히틀러가 직접 내린 명령이었을 것이라고 한다. 미대 지망생의 남다른 예술 감각으로 보기에도 다리가 가치있어 보였나 보다.

베키오 다리를 건너 피티궁전 앞까지 간다. 피티궁전은 메디치가의 아성에 도전하던 피티가의 저택이다. 아까 보았던 메디치궁전이 건립되는 것을 보고서는 루카 피티가 그 위세를 꺾으려고 1448년 의뢰했다. 그렇기 때문에 아까 거절당했던 필리포 브루넬레스키가 설계하는 것이 당연해 보인다. 하지만 피티궁전의 외양을 보면 역시나 화려한 장식을 좋아하는 브루넬레스키 스타일이 아니다. 공사가 브루넬레스키 사후 12년이 지나서야 시작되었다고 하니, 실제 시공 책임은 브루넬레스키의 제자 루카 판첼리였던 것 같다. 루카 피티는 공사 말년에 재정 위기에 봉착했고, 궁전의 완공을 보지 못하고 사망했다.

인생만사 새옹지마라고, 공교롭게도 궁전은 1549년 메디치가에 매각되었다. 새로운 안주인 엘레오노라 디 톨레도는 토스카나의 대공비이자 코시모 1세의 아내였다. 메디치가는 도전자의 콧대를 꺾어주려고 호시탐탐 노리고 있었을지도 모른다. 당초 궁전의 크기는 현재보다 꽤 작았으나, 코시모 1세가 새롭게 입주한 이후 수차례 증개축을 통해 규모를 키웠다. 피렌체가 이탈리아의 수도였던 한때, 로레인(Lorraine) 왕조나 사보이아(Savoia) 왕조의 궁전으로도 사용되었을 정도이다. 궁전은 기다란 육면체 건물에 양쪽으로 스테이플러 침 모양 같은 날개가 붙어 있다.

피티궁전 근처를 돌아보다가 가죽가게에서 연두색 지갑을 하나 집었더니, 여사장님께서 26.4유로를 부르셨다. 소수점까지 매길 정도로 정가를 치밀하게 책정한 이유는 모르겠다. 내가 흥정을 시도했다. "사장님, 오늘은 크리스마스이니, 자비를 베풀어 깎아주세요." "그래! 난 관대하다!" 그래서 25유로에 샀다. 정가를 소수점까지 매긴 이유는 아무래도 1유로만 깎기에는 쩨쩨해 보여서 그랬나 보다. 하지만 다시 한번 생각해 볼 때 1.4유로에 자존심을 팔라면 팔지 않았을 것이다.

피렌체의 야경 조망 필수 장소라는 미켈란젤로 광장 언덕에 올랐다. 버스로도 올라갈 수 있지만 아직까지는 패기가 넘쳐서인지 걸어 올라갔는데, 패기가 넘치려면 체력도 같이 넘쳐야 한다는 것을 깨달았다. 시간을 잘 맞춰서 석양까지 보았다면 좋았겠지만, 오늘은 날도 흐리고 너무 천천히 걸어오다 보니 광장에 도착했을 때는 이미 날이 어둑어둑해진 후였다. 아르노강에 비치는 저녁놀이 그렇게 아름답다던데 좋지 않은 날씨에 늑장까지 부린 것이 아쉽다. 비 온 뒤 날이 꽤 추워서인지 버스킹하는 사람도 없고 간간이 연인들만 부둥켜안고 별이 한두 개씩 뜨는 하늘을 바라보고 있었다.

언덕에서 보는 피렌체의 야경은 가슴을 가득 채우기에 모자람이 없었다. 잔잔히 이는 붉은 지붕의 물결 위로 꽃봉오리 같은 두오모가 봉긋 솟아올라 있었다. 언덕이 피렌체 중앙으로부터 꽤 먼 거리인데 여기서도 두오모는 저렇게 큼직하게 보이다니, 명색이 두오모의 도시일만 했다. 현대인들이야 건축술이 워낙 발달해서

80층이네 100층이네 서로 마천루를 경쟁시켜 대지만, 그 옛날 고만고만한 건물들 사이로 웅장하게 서 있는 두오모를 완공시켰을 사람들의 마음은 어땠을까. 마을 남쪽 언덕에서 저 멀리 보이는 자기들의 성당을 보며 속된 말로 가슴이 빠렁치지 않고서야 참을 수 있었을까. 당시에 경쟁하던 시에나, 페라라 같은 다른 동네 사람들에게 "이리 와 봐라, 좋은 것 보여줄 테니." 하고서 이 언덕에서 저 두오모를 보여주면서, 새어 나오는 웃음을 참으며 얼마나 오졌을까. 위대한 것을 창작하는 것은 고통스러운 일이지만 다 만들고 나서 느끼는 기쁨에 대한 기대는 고통을 잠재워주는 마약 같은 것이다. 창작의 고통, 창작의 희열이라는 말이 괜히 나온 게 아닌 것 같다.

민박집으로 돌아오는 길에 슈퍼에서 파는 커피슬러시를 먹었다. 얼음 슬러시가 아니고 커피맛 나는 크림 같은 음료인데, 맛은 있었지만 스타벅스 톨사이즈보다 적은 양에 4유로라니 비싸게 느껴졌다. 1달러 에스프레소의 나라에서 4달러 슈퍼 커피를 먹었다.

DAY 6 피렌체

# 친퀘테레도 맥도널드부터

친퀘테레에 가기로 한 날이다. 유럽 관광시장의 생리를 모르고 8시에 기세 좋게 숙소를 나섰다. 크리스마스 다음날이라 그런지 거리에는 개미 새끼 한 마리 흔적도 없다. 새벽 댓바람부터 놀러 가는 열차를 타는 건 좀 민망할 것 같아 아침에 가볍게 베키오 궁전 한 바퀴만 둘러보기로 했다. 궁전 매표소에서 말하기를 비가 부슬부슬 오기 때문에 옥상 루프탑은 출입이 금지되고, 박물관만 오픈하신단다. 지붕도 있으신 주제에 까탈스럽다. 개관은 10시부터이고, 박물관과 탑 입장티켓을 각각 사면 10유로씩이나, 통합티켓은 14유로라고 한다. 탑을 보지 못하면 박물관만 보는 것은 의미가 없다. 내일 다시 오겠다고 했다.

하릴없이 도시 이곳저곳 발 닿는 대로 걷는다. 먼 옛날 도시의 경계를 지었을 것으로 보이는 성문도 보고, 시내에서 벗어난 주택가의 근린공원도 엿본다. 피렌체 시내는 전화도 터지지 않을 것 같은 고풍스러운 과거 분위기인데, 외곽 주택가는 말끔한 현대의 분위기이다. 유서가 깊고 전통이 살아 있는 유적지도 좋지만, 내가 살기에는 아무래도 현대 문명의 편리한 이기가 있어야 한다. 아직도 수동 엘리베이터의 쇠창살 같은 문이 드르륵 닫히는 이탈리아 건물들을 보고 있노라면, 우리나라가 늦게 발전되기는 했지만, 발전시킨 결과는 첨단시스템의 결정체라서 다행이라는 생각이 든다. 옛날 옛적 왕족들이 살던 집보다 우리 아파트가 더 편리하고 더 살기 좋은 것은 그저 내가 늦게 태어난 복이다. 이런 나를 보며 미래인들은 또 "옛날에는 저렇게 불편하게 어떻게 살았대?"하고 비웃을지도 모를 일이지만.

11시가 다 되어서야 라스페치아행 열차를 탔다. 너무 늦었네. 친퀘테레는 이탈리아 북서쪽 해안에 있는 리오마조레(Riomaggiore), 마나롤라(Manarola), 코르닐리아(Corniglia), 베르나차(Vernazza), 몬테로소(Monterosso al Mare) 5개의 조그만 마을이다. 직역하자면 '5'(친퀘, cinque)+'땅'(테레, terre), '다섯 개의 땅'이다. 친퀘테레 5개 마을과 인근 리구리아 리비에라(Liguria Riviera) 해안 및 주변의 언덕은 국립공원으로 보호되고 있으며 유네스코 세계문화유산으로 지정되어 있다. 인간과 자연이 조화롭게 어울려서 보기 드문 멋진 경관을 지어내며, 천 년 동안 전승된 전통적 삶의 방식을 보여주면서, 지역 삶에 중요한 사회 경제적 역할을 하고 있다. 18킬로미터에 이르는 가파른 바위 해안을 따라 천 년에 걸쳐 사람들의 노력으로 계단식 농경지 및 포도밭 등 과수원을 형성하고, 바다 등성이 언덕에는 오래된 오솔길과 노새 길을 따라 올리브나무숲, 포도농장, 과수원, 밤나무숲이 이어진다. 먼 옛날 이탈리아의 전통적인 절벽마을에서 소박하게 밭을 일구고 바닷일을 하며 먹고살던 주민들의 모습이 상상된다.

피렌체에서 친퀘테레로 바로 가는 열차는 없고, 라스페치아를 경유해야 한다. 먼저 피렌체 산타마리아노벨라 역에서 라스페치아 첸트랄(Laspezia Centrale) 역으로 간다. 돌아올 때도 이 길로 와야 하니 왕복표를 끊으면 25.4유로이다. 라스페치아부터는 친퀘테레 각 마을로 가는 편도 표를 끊을 수도 있지만, 역사 내에 있는 '친퀘테레 포인트' 사무소에서 일일권을 끊으면 20유로에 라스페치아부터 친퀘테레 5개 마을, 그 너머 레반토(Levanto)까지 수시로 열차와 버스를 온종일 탈 수 있다. 사실 친퀘테레는 도보여행 코스가 유명해서 너무 교통수단에만 의존하면 온전한 경치를 감상하기 어렵다. 나는 체력을 생각해서 열차로 다니기로 했는데, 마을과 마을 사이를 가고 싶을 때 아무 때나 언제라도 갈 수 있는 것이 아니어서 오고 가는 시간을 계산하여 베르나차와 마나롤라만 가기로 했다.

라스페치아 역에 맥도널드가 있는데, 사람들 대부분 거기서 요기를 하고 여정을 나서는 듯하다. 여타 이탈리아 맥도널드와는 달리 분주한 느낌이 난다. 꽤 비싼 '농장이 어쩌고 하는 세트'(8.99유로)를 주문했지만, 햄이 느끼해서 빵만 먹고 버렸다. 고기의 본고장에 오니 한국에서 먹던 고기보다 누린내가 더 나는 것 같아 내 입맛에는 좀 역하다. 개인적으로 느끼기에 인종의 차이인지 모르겠지만 한국인들의 비위는 해산물에 강하고, 유럽인들은 육류에 강한 것 같다. 요새도 그런지는 모르겠지만, 세계적으로 유명한 한국의 특이 식성은 누가 뭐래도 해산물이다. <올드보이> 시절에는 낙지가 유명했고, '세계에서 가장 악취가 심한 음식' 중 하나로 삭힌 홍어가 선정됐다고도 하고, 김과 미역은 여전히 못 먹는 서양인들이 많은 것 같다. 그 밖에 전복, 해삼, 미더덕 등을 합치면 해산물 강국 일본보다 한국의 해산물 식성이 더 보편화 되기 힘들다고 봐도 무방할 것이다.

이와는 대조적으로 한국에서 육회다, 내장이다, 먹는 것도 촉감이나 시각적으로 역할뿐이지 냄새 또는 잔향이 길게 남거나 역하지는 않은 것 같다. 한번 먹으면 일단 다 담백한 고기 맛으로 귀결될 뿐 입안에 계속 누린내나 잡내가 남지는 않는다. 잡내를 잡는 것 자체가 주요한 요리비법으로 여겨질 정도이니 말 다 했다. 반대로 유럽의 육류, 특히 가공식품은 일부러 가공을 그렇게 하는 것인지, 도축 후 후처리를 안 하는 것인지 역한 누린내가 마치 화장실에 온 것처럼 느껴진다. 이곳에서는 그런 맛이 나도록 요리하는 것이 더 맛있는 방식일지도 모르겠다. 사람마다 맛을 느끼는 데에 차이가 있겠지만, 나에게 있어 유럽의 고기는 과하게 숙성된 맛, 중세시대의 맛인 것 같아 좀 거부감이 든다.

열차를 타고 베르나차에 도착했다. 역사에서 마을로

가는 길에 '방향(Direczione)'이라고만 적힌 지름길 같은 소로가 있어 따라가 본다. 어디로 가는 방향인지는 모르겠지만, 계단이 많은 것을 보니 모로 가도 높은 곳으로 갈 것 같다. 처음에는 제대로 된 길인 것 같아, 오솔길을 졸졸 따라 올라가는데, 점점 길이 범상치 않더니 결국 이런 궂은 길로는 오지 말 걸, 하고 후회하게 됐다. 하지만 멈추지 않고 조금 더 등성이까지 가보니 마을 것인지는 모르겠지만 공동묘지가 나왔다. 산등성이에 만든 떼 무덤이라니. 역시 산이 많은 반도 사람들의 사고방식은 다 비슷비슷한가 보다. 다른 점은 여기 이탈리아의 묘지는 기본적으로 봉안당이라 무덤은 없고 석벽만 서 있다는 점이다. 대리석 납골함을 빽빽이 채워 세운 벽은 마을이 굽어 보이고 멀리 지중해가 바라다보이는 산 중턱에 자리 잡고 있었다. 이곳 사람들은 사랑하는 사람이 죽으면 세상에서 가장 아름다운 풍경을 선물하는구나. 우리나라에도 이런 장소가 있다면 가족묘지공원으로 적당할 것 같다. 이미 많은 추모공원이 그런 곳에 자리 잡고 있기도 하다.

다시 돌아온 베르나차 기차역에서 마나롤라행 열차를 타려면 처음에 왔던 라스페치아 방면 기차를 탔어야 했는데, 반대 방향으로 잘못 타는 바람에 몬테로소로 가버렸다. 서울 그 복잡한 곳에서도 지하철 반대 방향을 잘못 타는 법이 좀처럼 없었는데, 외국 깡촌이라는 이곳이 이렇게 차 타기가 힘든 곳이다. 몬테로소는 그래도 자동차가 쉽게 접근 가능한 해변에 자리 잡고 있어 베르나차보다 번화했다. 하지만 시간이 별로 없던 차라 바로 마나롤라행 열차로 갈아탔다.

열차를 타고 마나롤라에 접근하면서 보니 바다 저편 붉은 점이 방사형으로 선연한 빛을 내뿜고 있다. 어두워지는 하늘과의 경계가 희미해지는 짙은 남색 바다 위로 진한 향기가 퍼져 나간다. 한밤중 흑막을 뚫고 미국 캘리포니아에서 내륙으로 뻗는 고속도로를 타고 달리다 보면 발견하는, 라스베이거스가 뿜어내는 환락의 빛과 닮은 구석이 있다. 붉은 점은 점점 사그라들어 완전한 어둠으로 침잠할 것이다. 갈 수 있다면 붉은 점까지 도달해보고 싶다. 배를 타고 간다면 현실과 꿈의 경계 어디매 황홀함 그 자체일 것이다.

이제 막 오후 3시가 넘기 시작한 시각이었으나, 이탈리아 겨울의 일몰은 순식간에 민첩하게 찾아온다. 급하게 마나롤라 전경을 조망할 수 있는 언덕을 찾아 올라간다. 지도로 확인했을 때 석양의 마나롤라를 감상하는 가장 좋은 자리는 옆 마을 코르닐리아에서 마나롤라로 오는 도보여행 경로 중간쯤으로 보였으나, 미처 도달할 시간은 없어 보였다. 다만 마을을 감싸 안은 포도밭 언덕 등성이로 올라가면 어찌어찌 전경을 볼 수 있겠다 싶었다. 가로등은커녕 호롱불 하나 없이 어둑어둑한 포도밭 등성이를 달리듯 올라갔다. 중간중간 크리스마스를 기념하여 나팔 부는 천사 등 하얀색 패널들이 밭을 장식하고 있었다. 숨 가쁘게 중턱에 다다르자, 예수 그리스도와 교회 모양의 패널이 세워져 있었다. 나도 모르게 "아멘!" 외침이 나왔다.

석양과 어우러지는 마을의 사진을 찍으면서 이제는 칠흑 같아진 밭길을 내려갔다. 인적도 드물고 포도 재배 시기도 아니다. 이곳에서 굴러서 땅에 묻히면 농담이 아니라 이, 삼 주 혹은 두, 석 달 뒤에 발견될지도 모른다. 필사적으로 안간힘을 써서 집중 또 집중하고 내려왔다. 두 손과 두 발을 다 써서 기어가다시피 했다. 뒷일을 생각지 못하고 무작정 좋은 경치를 찾아 올라간 나의 근시안을 원망했다. 그래도 한 걸음 한 걸음 집중해서 내딛으니 죽지 않고 무사히 마을에 당도했다.

뒤돌아보니 시커멓고 커다란 언덕이 호랑이 그림자처럼 보여 정신이 몽롱해지고 '저 언덕을 올라갔다니.' 하고 꿈처럼 느껴지면서 소름이 끼쳤다.

방파제 부두로 나가니 파도가 세차게 치고 있었다. 가로등이 비추는 곳은 하얗게 부서지는 거친 파도의 포말 때문에, 빛이 없는 곳은 새까만 암흑 속에서 몰아치는 소리 때문에 공포감이 극대화되었다. 등대가 있는 언덕 쪽으로 갔다니 말 그대로 한 치 앞이 보이지 않았다. 땅에 서 있는 것인지, 바다에 떠있는 것인지 구분이 되지 않았다. 어쩌면 지중해 깊은 심해, 심연 속에 들어와 있는 것인지도 몰랐다. 들리는 소리도 사람이나 동물이 내는 것은 하나도 없고 파도와 물결 소리뿐이었다. 등골이 서늘해졌다. 그 조그만 마을에서도 느껴지는 광대한 공포와 그러면서도 대상을 알 수 없는 그리움에 사로잡혔다. 어쩌면 내가 보지 못한 마나롤라의 환한 모습, 진짜 얼굴에 대한 호기심이었는지도 모른다. 나는 이곳의 오묘하고 신비한 모습만을 보았지만 환한 낮에는 아주 평범하게 사람들이 일상생활을 하는 분주한 바닷가 마을일지도 모른다.

저녁 8시가 넘어 라스페치아에서 피렌체로 가는 직

행열차는 없고, 피사를 경유하여 피렌체로 돌아왔더니 밤 11시가 거의 다 되어 있었다.

DAY 7 피렌체

# 열정과 냉정과 안개

오늘은 피렌체 두오모를 정복할 것이다. 두오모의 원래 이름은 '꽃의 성모 마리아(산타마리아 델 피오레, Santa Maria del Fiore)' 대성당으로서, 리즈시절은 아마 <냉정과 열정 사이>(에쿠니 가오리) 열풍 때일 것이다. 소설과 영화 이후로 두오모를 찾은 일본인과 곁다리 한국인들이 한 1억 명은 되었으려나.

두오모를 가까이서 보는 법은 2가지 경로가 있다. 두오모를 직접 오르거나, 두오모 바로 앞에 있는 조토의 종탑에 올라 두오모를 조망하는 것이다. 두오모 쿠폴라는 계단 400개, 조토의 종탑은 계단 300개라고 하니, 가급적 시간과 체력을 안배해서 체험하는 게 좋을 것 같다. 혹시 둘 중 하나만 선택해야 한다면, 직접 체험하기보다는 시각적 경험을 선호하는 나 같은 사람에게는 조토의 종탑을 올라 두오모를 조망함으로써 피렌체 풍경의 백미를 맛보는 게 좋다. 게다가 두오모 쿠폴라는 <냉정과 열정 사이> 이후 수천만 커플의 망령이 살아 숨 쉬는 꺼림칙한 장소이기 때문에, 별로 발 들이고 싶지 않다.

패기 넘치게 오전 8시에 조토의 종탑 입구에 줄을 섰다. 압도적 1등이다. 매표원처럼 보이는 사람들이 쳐다본다. 테러리스트가 된' 기분이다. 8시 20분경 아무도 오지 않길래 '종탑을 한번 돌아나 보고 올까.' 하고 다녀왔더니, 그 사이 가족 한 팀이 1등을 차지했다. 나만의 '20분 천하'가 끝났다. 잠시 후 종탑 앞에서 기념품을 파는 좌판상인이 좌판을 깐다. 아니, 깐다기보다는 날개를 펼친다. 좌판은 초고도 최첨단 진열 시스템이다. 기술의 발전은 소규모 좌판상인에게까지 닿았다. 트럭에서 카트 같은 것을 내리더니 리모컨을 누르자 사방으로 날개가 펴지며 기념품을 전시할 수 있는 패널탑이 된다. 동영상을 찍고 싶었지만 영업방해가 될까 봐 소심하게 쳐다만 봤다.

8시 30분이 되어 개표를 시작했다. 개찰구는 옛날 2호선 지하철 개찰구와 같다. 개찰구를 통과하자 신나는 계단 행진이다. 앞에 가던 가족 팀이 하나둘씩 나자빠졌다. 드디어 내가 그토록 바라던 전망대 1등 입장의 승리를 거머쥐었다. 그러나 성모마리아는 질투가 많은 인간에게 행운을 허락하지 않았다. 전망대에는 짙은 안개가 뿌옇게 가득 차 있었다. 연무 한가운데에 덩그러니 나 홀로 서있으니 <미스트>의 한 장면이 연상되었다. 미지의 안갯속에서 징그러운 촉수가 뻗어 나오고, 나와 촉수를 가로막는 것은 허름한 철창살 한 줄 뿐인, 끔찍한 안개다. 아까 계단을 올라오면서 간간이 보이는 작은 창 밖으로 연무가 보이길래 '멜랑콜리한 두오모를 보는 것도 나쁘지 않지.' 하며 흐뭇해했던 마음에 삽시간에 실망의 파도가 밀려왔다. 조토의 종탑이 두오모보다 서쪽에 있으니 '해가 보이면 두오모와 같이 멋지게 사진 한 컷에 담을 수 있겠다.'는 예측도 산산이 부서졌다. 두오모는커녕 동서남북 방향조차 감지하기 힘들었고, 이따금 안개가 짙어지면 내 손조차도 보이지 않을 정도로 뿌예져서 오히려 신기했다. 이 정도면 <무진기행>에 버금가려나. 9시 정도 되자 상대편 두오모의 윤곽이 드러났고, 그곳 쿠폴라에서도 오밀조밀 움직이는 관람객들의 모습이 보였다. 들리지 않았지만, 그들끼리도 안개에 당황하여 웅성웅성 대는 소리가 들리는 듯했다. 불굴의 한국인으로서 해가 뜰 때까지 기다려서 기어코 두오모 전경을 한 컷 남기려고 했는데, 결국 실패로 돌아갔다. 뜬 줄 모르게 해는 떠버렸고, 일광 속에서도 두오모는 뿌연 안개 밖으로 나오지 않았다. 꽝 복권을 들고 일주일 기다린 기분이다. 남들은 다 찍은 쨍하고 빨간 두오모 사진이 나에게는 없다. 나만 없다.

10시경 조토의 종탑에서 내려와 두오모 성당으로 향했다. 두오모의 파사드(façade)는 백색 대리석 바탕에 분홍색과 녹색의 줄무늬로 장식되어 화창하게 개화한 꽃을 연상케 하며, 자애롭고 온화한 성모마리아의 성당이라는 수식어에 가장 잘 들어맞는다. 성당은 파사드만 떼어내 보면 아기자기하고 오밀조밀하게 여성적이지만, 거대하게 박혀 있는 쿠폴라로 인해 순식간에 우람한 기운을 내뿜는다. 중세성당으로서는 유럽 최대규모이고, 현재도 베드로 대성당, 세인트폴 대성당 등과 더불어 크기로는 전 세계에서 다섯 손가락 안에 든다. 외유내강이랄까. 앞에서 봤을 때는 야리야리한 소녀였는데,

뒤로 돌아가니 건장한 근육맨이다. 부조화에서 기인한 재치로 인해 두오모의 매력에 사로잡히고 두오모와 사랑에 빠지게 한다.

외벽의 줄무늬를 이루는 색깔별 대리석은 각기 다른 인근 지방, 카라라(하얀색), 프라토(초록색), 시에나(분홍색), 라벤차 등에서 가져온 것으로, 성당을 지을 때 얼마나 대단한 정성이 들어갔는지 알 수 있다. 이 대리석으로 성당과 세트인 조토의 종탑과 산조반니 세례당도 마감했으니 당시 피렌체 사람들의 정성과 미적 감각, 부를 한 번에 보여주는 보석세트라 할 만하다. 성당 정면 오른편의 조토의 종탑도 같은 무늬로 마감되어 통일감과 함께 거대한 덩치에 걸맞지 않게 아기자기한 귀여움을 자아낸다. 두오모 정문 바로 맞은편에 팔각형 건물 산조반니 세례당이 두오모를 등지고 앉아있고, 세례당 입구에 붙어있는 로렌초 기베르티의 <천국의 문>이 위용을 자랑한다.

두오모의 거대한 쿠폴라는 아르놀포 디 캄비오가 1296년 설계를 했지만 시공할 기술이 없어 미루어 두었다가 1436년 필리포 브루넬레스키 때에 이르러서야 겨우 달성했다. 브루넬레스키는 판테온에서 이중벽에서 영감을 얻었으나, 판테온과 같은 원형이 아닌 팔각형 받침 위에 돔을 올리는 형태로 거대한 쿠폴라를 안착시켰다. 피렌체 두오모의 돔은 목재 지지구조 없이 지어진 당시 가장 거대한 돔이었고 오늘날에도 세계에서 가장 큰 석재 돔이다. 미켈란젤로가 베드로 대성당의 돔을 건립한 것이 브루넬레스키보다 150년이나 늦은 시기였으니, 브루넬레스키의 업적이 얼마나 대단한 것인지 짐작케 한다. 건축적으로나 역사적으로나 눈부신 활약을 한 브루넬레스키는 이제 두오모 옆 카노니치 궁전 벽감에 앉아 자신의 작품을 흐뭇하게 바라보고 있다.

화려한 외관과 대비하여 두오모 본당 내부는 상대적으로 소박한 편이다. 천장화나 벽화 등은 거의 없고, 위압적인 기둥들과 궁륭을 가로지르는 늑골이 퉁명스럽게 관람객들을 반긴다. 성당 입구부터 중앙통로를 따라가는 모든 길은 쿠폴라 천장을 장식한 조르조 바사리와 페데리코 추카리의 <최후의 심판>을 돋보이게 하는 빌드업 과정이다. 무미건조한 통로를 따라가다가 원형의 중앙 부분에 이르러 고개를 들면 층층의 구름 위를 떠올라 천국으로 들어가는 영혼들이 나를 내려다보고 있다. 입체감이 생생해서 진짜 하늘이 보이는 것 같다. 원래 블루넬레스키 생전에 돔 천장은 환한 빛이 반사되도록 황금 모자이크로 장식하려고 했으나, 죽고 나서 한동안 비워져 있었다. 이후 코시모 1세 때 <최후의 심판>을 주제로 채우기로 했다. 그림은 5개 층으로 이루어져 있으며, '요한 묵시록', '천사들의 합창', '그리스도', '성모마리아', '성인들', '덕', '성령의 선물들', '더없는 행복', '중대한 죄와 지옥'에 대한 내용이 그려져 있다. 본당의 정문 위쪽에 바늘이 하나뿐인 거대한 시계가 있다. 네 모서리는 복음서를 남긴 4명의 사도 마태오, 마르코, 루카, 요한의 초상화로 장식되어 있고, 하나뿐인 바늘은 24시간을 기준으로 작동한다. 그 위쪽 둥근 스테인드글라스 창에는 가도 기디가 작업한 <마리아에게 왕관을 씌우는 그리스도>가 화려하게 채색되어 있다.

두오모 내부는 성당 본당이라 입장료를 받지 않지만, 두오모 쿠폴라, 조토의 종탑, 산조반니 세례당 그리고 성당 박물관을 관람할 수 있는 통합권이 10유로이다.성당 본당 입장료를 받지 않는 건 개별성당마다 다른 지침을 갖고있는 것 같다. 돈에 환장한 앵글로색슨들은 성당이고 학교고 입구만 있으면 다 매표소로 생각해서,

런던 세인트폴 성당에도 어마어마한 입장료를 책정해 놨다. 이런 사람들이 박물관은 공짜라 하니, 신기하다. 빈자를 사랑하는 가톨릭의 나라 이탈리아의 사람들은 과거 그리스도께서 성전을 뒤엎으셨듯이 미사의 전당에 돈을 매긴다는 것은 불경하다고 생각하는 듯하다. 위대하고 장엄한 성당들의 문이 거의 예외 없이 밀면 열린다. 비렁뱅이나 광인이 들어와서 이리저리 구경해도 그냥 내버려 두는 관용이 있다. 아무튼 두오모 통합 티켓은 인터넷예매나 현장구매나 가격도 똑같고, 인터넷예매라고 해서 대기를 따로 시키는 것도 아니지만, 현장구매는 기다란 줄을 2번 서야 한다는 단점이 있다.

커피 본고장에서의 하루하루가 아깝지 않게 에스프레소와 티라미수로 간단하게 요기를 하고 1시경 베키오 궁전으로 향했다. 어제 들은 대로 탑과 박물관 통합티켓을 14유로에 끊고 바로 탑으로 향했다. 어제 보슬비로 폐쇄했던 탑을 오늘은 개방했다. 사람들이 계단까지 내려와 줄 서고 있었다. 탑에는 일정한 인원만 올려보내기 때문에, 탑에서 누가 퇴장하지 않으면 밑에서 올라갈 수가 없는 구조였다. 줄은 줄어들지 않고 검표원은 한가해 보였다. 나는 오후 3시에 우피치 미술관 투어를 예약해 놓은 참이어서 혼자서 속을 태우고 있었다. 혼자 왔으니 혹시나 1인분이 남으면 올려보내 주기를 간곡히 청하는 눈빛을 쏘아봤지만, 얄짤 없었다. 그래도 다행히 내 앞에서 커플 2명이 올라갈 차례였는데, 검표원이 나를 보더니 "혼자세요(Only one)?"하고 묻길래 "예스!"라고 세차게 고개를 끄덕였더니 올려보내 주었다. 전망대까지 올라가는 중간에 안내원이 "거의 다 왔어요(You're almost there)."라며 하산객들이 으레 던지는 무의미한 격려를 보내길래 조용히 고개를 끄덕이면서 올라갔다. 오전에 300개의 종탑을 등반하고서 오후에 또다시 전망대 등반을 하려니 토가 나올 지경이었지만, 다행히 직전에 꼭대기에 도착했다. 날이 개긴 했지만, 여전히 구름은 떠나지 않고 있었다. 미켈란젤로 언덕에서처럼 붉은 지붕 바다 위에 섬처럼 오뚝 솟은 두오모가, 이번에는 더 크게 보였다. 두오모가 가장 잘 보이는 자리라는 말을 들었는데, 과연 명실상부하다. 공화국의 통치자가 두오모를 보기 위해 고안한 설계일 것이다. 세상 그 어떤 아름다운 풍경화보다 더 아름다운 액자였다.

베키오 궁전은 1299년 피렌체 시의회 의뢰로 시뇨리

아(Signoria) 궁전 즉, '시청사'로 개청한 이래, 수백 년간 청사로 사용되었다. 아직도 시의회와 시장실 등 일부 관공서가 입주해 있다. 메디치 시절 몇십 년을 제외하고 그 긴 기간을 일개 왕족이나 귀족이 아니라 공무원들의 직장으로 쓴 것이다. 사무실과 복도는 명화로 가득 차 있고 바람 쐬러 올라가는 옥상 루프탑은 두오모뷰라니, 애사심이라는 것이 폭발한다. 1540년 코시모 1세가 메디치궁전에서 시뇨리아 궁전으로 이주했다. 이후 다시 아르노강 건너 피티궁전으로 이주하면서, 시뇨리아 궁전은 베키오궁전으로 바꾸어 불렸다. 재임기간 동안 공관을 2번이나 이전한 코시모 대공이 참으로 피곤한 보스였을 것 같다는 생각이 든다.

꼭대기 시계탑은 94미터에 이른다. 아로놀포 캄비오가 고대의 탑 구조에서 영감을 얻어 탑을 설계하였으며, 이 때문에 중앙이 아닌 약간 왼쪽 앞으로 튀어나와 있다고 한다. 고대에는 적을 감시하기 위한 목적이었을 것이다. 탑은 과거 감옥을 역할도 해서 국부 코시모도 감금된 적이 있고, 사보나롤라도 감금된 적이 있다. 정적이 번갈아 돌아가며 갇힌 감옥이라니 의미심장하다. 베키오궁전 시계탑에 수감되었었던 사보나롤라는 후에 베키오궁전 앞마당, 시뇨리아 광장에서 화형에 처해진다. 시계탑에 박혀 있는 시계는 최초 1353년 니콜로 베르나르도가 제작하였다가, 이후 1667년 독일 게오르크 레더레가 만든 복제품으로 대체되었다.

베키오 궁전 박물관 가장 높은 3층부터 관람하면서 내려왔다. 3층 전시실에 입장했는데, 초장부터 도나텔로의 <홀로페르네스의 머리를 들고 있는 유디트>가 나와 깜짝 놀라였다. 기를란다요의 <로마영웅> 프레스코화, 엘레오노라 예배당을 장식한 안젤로 디 코시모 알로리의 프레스코화, 마키아벨리의 흉상과 초상화, 프란체스코 1세의 서재 등 전시실은 보물창고이다. 2층 관람을 마치고 건물 반대편으로 길게 이어진 복도로 나왔는데 거대한 강당이 있다. 천장은 물론 양 벽에 르네상스 명화가 가득하고, 바닥도 복잡한 무늬로 장식된 가운데 양 벽에 입이 떡 벌어지는 조각상들이 주르륵 늘어서 있다.

혁명군 사보나롤라는 메디치를 축출하고 시청을 차지한 이후, 1494년 시모네 폴라이올로에게 의뢰하여 가로 23미터, 세로 52미터의 대형 평의회 회의실 '500인의 방(살로네 데이 친퀘첸토, Salone dei cinquecento)'을 건립하였다. 회의실 양쪽 벽을 두고 역사상 천재들 간의 경합, 피렌체더비가 시작되었다. 한쪽 벽에는 미켈란젤로가 <카시나 전투(Battle of Cascina)>, 반대편 벽에는 레오나르도 다빈치가 <앙기아리 전투(Battle of Anghiari)>를 그릴 예정이었다. 카시나 전투는 피렌체가 피사를, 앙기아리 전투에서는 피렌체가 밀라노를 물리친 승전의 기념사이다. 우리도 인천상륙작전, 지평리 전투, 백마고지 전투 등등 그릴 것이 차고 넘치는데. 아무튼 다빈치가 미켈란젤로보다 먼저 의뢰를 받아 이미 프레스코화 작업에 들어갔었지만, 마음이 급해 뜨거운 숯과 화로로 빨리 건조하려는 과정에서 왁스가 녹아내려 험난한 과정을 겪고 있었다. 미켈란젤로도 딱히 떠오르지 않는 초안을 구상하다가 바티칸에서 교황 율리우스 2세가 영묘를 건립해 달라는 의뢰를 받고 옳다구나 짐을 싸서 떠나버렸다. 손대는 것마다 미완성으로 남겨두었던 다빈치 역시 말 몇 마리 궁둥이만 그려놓은 채 스리슬쩍 떠나버린다. 그렇게 미완성으로 덜렁 남겨진 방을 보고서 코시모 1세가 이주하면서 가만히 두었을 리가 없다. 조르조 바사리에게 의뢰하여 개축을 하고 양쪽 벽을 메디치의 전투, 피사와 시에나를 물리치는 피렌체로 장식하였다. 애초 레오나르도가 남긴 말 그림을 보고 찬사를 아끼지 않던 바사리가 결국 자기 그림으로 레오나르도의 명화를 덮어버렸던 것이다. 반전 결말이다.

베키오 궁전 지상층까지 내려오니 개방감과 폐쇄감이 동시에 드는 중정이 나온다. 이탈리아 주요 도시들을 소재로 벽화를 그려 채워 넣었고, 가운데 분수에는 돌고래와 놀고 있는 어린이 동상을 세워 아기자기하면서도 포근한 느낌을 준다. 한옥의 마당도 그렇고, 이탈리아의 중정도 그렇고 인간은 궁극적으로 어쩔 수 없이 시끌벅적한 야외 난장이 아니라 안식처, 피난처를 찾아 들어갈 수밖에 없는 존재인가 보다. 안과 밖을 가르는 차별적 행위라 할 수도 있겠지만, 인간의 본능이 찾게 되는 것 같다. 햇볕이 들어오되 건물로 둘러싸인 공간은 누구에게나 편안함과 안정을 준다. 맹수가 나를 위협하는 것도 아닌데 이런 공간만 들어오면 마음이 한결 편안해지면서 안심이 된다.

궁전 입구 왼편에는 저 유명한 미켈란젤로의 <다비드> 모작이, 오른편에는 바초 반디넬리의 <카쿠스를 혼내는 헤라클레스>가 근엄하게 서서 진상민원인을 심판하려 하는 듯하다. 우리도 구청과 동사무소에 청원경찰을 배치해야 하는데, 그 많던 세금은 다 어디로 가버렸을까. 미켈란젤로는 애초 <다비드>를 건물 꼭대기에 설치하도록 요구했었다. 시청과 계약할 때 어떻게 했는지는 모르겠지만, 만약 최초 계약 때 합의하지 않은 것이라면 진상도 이런 진상이 없다. 그깟 동상 하나 어디에 놓든 무슨 상관이며, 그 무거운 동상을 어떻게 건물 꼭대기에 놓으려고 했는지 알다가도 모를 일이다. 미켈란젤로는 건물 꼭대기에 있을 <다비드>를 상상하며 일부러 머리 크기를 정상 비율보다 크게 만들었다고 하지만, 누가 알겠는가. 자기가 만들어놓고 나중에 합리화하는 이야기일 수도 있지 않은가. 요새도 도시 개발할 때 어느 규모의 구역에는 의무적으로 예술작품을 설치해야 한다고 하던데, 그게 다 세금 살살 녹이는 짓일 수도 있다.

DAY 7 피렌체

# 나 죽거든 산타크로체에 묻어주오

베키오 궁전 바로 앞에 조각의 회랑이 있다. 작품들은 하나같이 약탈과 폭력에 관한 것이다. <메두사를 참수한 페르세우스>(벤베누토 첼리니), <사비나 여인의 약탈>(지암볼로냐), <켄타우로스를 때려잡는 헤라클레스>(지암볼로냐), <쓰러진 파트로클루스를 들고 있는 메넬라우스>(루도비코 살베티 복원), <폴리제냐의 약탈>(피오 페디). 인간이 폭력적이라는 사실은 예나 지금이나 변함이 없다. 사람이든 물건이든 두 개만 넘으면 선과 악을 가르려고 하는 흑백논리, 나와 다른 것은 악이라는 자기중심주의, 선인 내가 악인 타인을 바로잡고 계도해야 한다는 선민의식, 만인에 대한 만인의 투쟁, 양화를 구축하는 악화. 대개는 나쁜 특성들이 인류의 역사를 통틀어 이어져 내려왔고 지금의 인간을 형성한 인류의 습관이다. 남을 해치는 것은 나쁜 것이고, 우리는 조화롭게 살아야 한다는 교육은 역사가 극히 짧다. 단순히 함께 사냥하는 무리의 개념을 넘어, 하나의 공동체, 하나의 사회, 하나의 국가를 이루는 동료라는 개념은 이제 겨우 천 년 되었다. '친절이 승리한다. 함께 가야 오래간다.'라며, 디폴트값이 안정, 평화, 비폭력인 세상에서 살고 있지만 나는 아직도 이 평화가 간신히 유지되고 있는 것처럼 불안하게 느껴진다. 우리가 꾸준히 추구해야 할 것은 항상 의심하는 불확실성의 확실성, 자기 객관화, 중용, 절제, 이를 바탕으로 한 올바른 권선징악일 것이다.

우피치 미술관 투어 전까지 막간을 이용해 산타크로체 성당에 잠시 들렀다. 로마에서부터 성당이 보이면 크든 작든 내부는 어떨까 궁금함에 문을 빼꼼 열고 들어가 보았었는데, 매번 들어가는 곳마다 '이 성당이 나의 최애성당이다!'하고 반하곤 했었다. 성당의 나라인 이탈리아라서 워낙 웅장하고 위대한 성당도 많이 있지만, 작은 동네 성당이라고 생각하고 들어갔던 곳에서 예상치 못한 우아함이나 도도함이 드러나면 감격스러워 어찌할 바를 모르겠다. 이탈리아가 기본적으로 대리석 같이 좋은 자재가 생산되는 나라이고 미적 감각이 뛰어난 사람이 많아서 모든 것 하나하나 어여쁘게 잘 지을 수 있었던 건지 모른다. 세상 모든 것이 다 재능 따라가기는 하지만 미적 감각 특히 디자인은 학습보다는 재능의 영역이라고 하는데, 이탈리아인들의 피에는 다들 예술인의 유전자가 한 방울씩 들어있는 것일까. 어렸을 때부터 보고 자란 환경이 기본적으로 예술적이고 조화로운 것들이 많아서 자연스럽게 보는 눈이 생겨나는 것일까.

산타크로체 성당은 대중적 관점에서 보자면 특출난 미인은 못 된다. 파사드는 단정하고 조화롭지만, 실내 장식이 거의 없이 거칠고 투박하다. 하지만 입장하게 되면 본당 양측에서 성인과 위인들의 무덤이 죽 늘어서 있는 게 기분이 영 묘해진다. '피렌체 판테온'이라는 별명답게 단테, 미켈란젤로, 갈릴레오, 마키아벨리 등 역사적 인물들이 이곳을 자신의 묫자리로 점찍었다. 영험한 기운을 느낀 것인지, 전임자의 무덤을 보고 흠숭해서 같이 묻히고 싶었던 것인지 아무튼 소박한 성당치고 묫자리의 주인들을 보면 웬만한 국립묘지 못지않다. 미사를 위해 만든 전당이라기보다는 공동묘지를 포장하기 위한 위장 건물 같다. 유수의 위인들이 천하의 판테온을 두고 굳이 이 성당에 묻히기를 희망했다는 것을 보면 분명 알려지지 않은 모종의 원인이 있을 것이다. 가능하면 나도 죽고 나서 이곳에 묻히고 싶은데.

두오모, 베키오 궁전과 마찬가지로 산타크로체 성당의 건축가는 아르놀포 디 캄비오이다. 1294년 프란체스코 수도회 본당으로 산타크로체 성당을 먼저 착공하고 그 여세를 몰아 베키오 궁전을 건립했을 것이다. 성당은 1443년 봉헌 때까지 수차례 설계가 변경되었고, 말기에는 대가 브루넬레스키도 한몫 거들었다. 이 소박한 성당에 브루넬레스키까지 손을 댄 것을 보면 분명이 지점에 어떤 힘이 서려있는 것이 틀림없다. 로마네스크 양식이지만 고색 찬란 화려한 장식은 찾아볼 수 없고, 19세기에 흰색, 녹색의 대리석을 조합한 고딕풍 파사드를 건립하였다. 페루치가와 바르디가 예배당을 장식하는 조토의 <두 요한>과 <성 프란체스코> 벽화, 타데오 가디의 프레스코화, 도나텔로의 <십자가상>과 <수태고지>, 브루넬레스키가 설계한 파치가의 예배당 등이 남아 있다. 1966년 대홍수로 수해를 입고 복구는 하였으나, 치마부에의 <십자가상>이 손상되었다. 성당을 나오니 수도원에 햇살이 가득하다. 아침에 속을 썩이던 안개가 말끔히 걷혔다. 하늘은 공활하고 구름은 높다. 좋은 날씨는 산해진미보다, 핫플 장소보다, 힙한 친구들보다 더 행복한 시간을 선사한다. 우피치 미술관에 갈 시간이다.

우피치 미술관은 중요한 작품이 많다고 들어, '피렌체 한 바퀴'의 가이드투어를 예약했다. 입장료 15유로와 투어비용 10유로였다. 가이드님께서 작품 설명과 더불어 그에 엮인 피렌체와 이탈리아의 역사도 재미있게 풀어주셔서 보람찬 시간이었다. 이탈리아어로 '우피치(Uffizi)'는 사무실이라는 뜻이다. 1560년 코시모 1세가 초대 토스카나 대공으로서 행정과 사법기관이 모두 입주할 수 있는 '정부종합청사'를 건립하도록 조르조 바사리에게 지시하였다. 이에 14년간 우피치궁전을 건립하였다. 이후 15세기 코시모 일 베키오부터 마지막 토스카나 대공 잔 카스토네까지 약 200년간 메디치가가 수집 또는 제작 의뢰한 모든 작품들의 수장고가 되었다. 메디치 리카르디 궁전과 같이, 메디치의 마지막 자손 안나 마리아가 토스카나 대공국에 2,500여 점의 컬렉션을 기증함으로써 일반에게 공개되었다. 이탈리아 통일 이후, 국립미술관으로 격상되었고 일부 조각 등은 1800년 국립바르젤로미술관과 국립고고미술관으로 이관되었다. 우피치 미술관은 '바사리의 회랑'을 통해 베키오궁전 및 피티궁전과 연결되어 있으며, 이 회랑에는 약 1킬로미터 길이에 걸쳐 초상화가 전시되어 있어 세계 최장, 최고 수준이다.

미술관 주요 작품으로는 <비너스의 탄생>과 <프리마베라(봄, La Primavera)>(산드로 보티첼리), <동방박사의 예배>와 <수태고지>(레오나르도 다빈치), <성가족(Tondo Doni)>(미켈란젤로), <검은 방울새의 성모>와 <자화상>(라파엘로), <우르비노의 비너스>(티치아노), <성모자>(조토), <수태고지>(마르티니), <바커스>(카라바조), <세 동방박사의 경배>(알브레히트 뒤러), <목자들의 예배>(휘스) 등이 있다.

보티첼리의 작품들은 명실상부 우피치 미술관의 마스코트이다. 무심하거나 강퍅해 보이는 레오나르도 다 빈치의 인물들, 우락부락한 미켈란젤로의 인물들, 갸륵해 보이는 라파엘로의 인물들에 비해, 나는 오히려 보티첼리의 아리따운 미인들이 마음에 든다. 대놓고 미를 과시하는 것이 꼭 미인대회를 연상케도 하지만, 실지 아름다운 것을 아름답다 하지 그걸 또 굳이 숨길 필요는 없지 않은가. 발그레한 볼이며, 단아하고 둥근 눈이며, 앵두처럼 볼그스레한 입술이 예쁘다, 예쁘다, 소리가 절로 나온다. 키도 늘씬늘씬하고 풍채도 아담하지도 않고 우람하지도 않은 것이 야리야리한 것도 아니고 탄력 있게 낭창하다. 모나리자보다도 모딜리아니보다도 미인의 정석이라면 자고로 보티첼리의 여성들 정도는 되어야 하는 것이다. 객나적인 평가인 것인지, 보티첼리 작품들 앞에는 항상 인파가 만선이다.

산드로 보티첼리의 본명은 알레산드로 디 마리아노 디 반니 필리페피이며, '보티첼리'는 작은 술통이라는 뜻으로 술을 좋아하는 성격을 짐작게 한다. 출생에 대해 잘 알려지지는 않았지만, 보티첼리의 아버지가 보티첼리에게 금세공 훈련을 시켰다고 한 것으로 보아, 화가 집안보다는 기술자 집안에서 태어났을 것으로 추정된다. 어쩌면 베키오다리를 중심으로 귀금속업을 하고 있었을 수도 있다. 혹은 이미 그때 당시 '예술하면 배를 곯으니, 기술을 배워라!'라는 교훈이 널리 퍼져 있었는지도 모른다. 어쨌든 어린 산드로는 금세공 훈련보다는 그림을 그리는 데에 더 흥미를 느끼고 아버지를 설득한 결과 르네상스의 대가 프라 필리포 리피의 공방에 들어가 미술을 배울 수 있었다. 큰 나무는 떡잎부터 알아본다더니 뭐가 되었어도 되었을 사람인가 보다.

스승인 필리포 리피의 화풍은 형상을 힘찬 선으로 그리면서 치장을 중요시했는데, 보티첼리 그림에서도 일부 이러한 양상을 볼 수 있다. 보티첼리의 그림이 약간 애니메이션, 일러스트레이션 같아 보이는 이유도 잘 보이지 않는 것 같아도 배경과 뚜렷한 경계를 이루는 윤곽선 때문인 것 같다. 필리포 리피, 보티첼리의 명맥을 알퐁소 무하가 이어간 것 같다. 어쨌든 보티첼리는 여기서 머무르지 않고 조각 미술로부터 사실적인 묘사의 매력을 느껴 이를 차용하면서도, 사실의 단순한 묘사에 머무르지 않고 장식적인 면과 상징성을 강조함에 따라 미술적 가치와 도상학적 가치를 모두 제고하였다. 보티첼리는 그림 속에 다양한 상징과 은유(알레고리)를 숨겨 놓았다. 이스터에그를 발견하는 이들은 점점 더 그의 그림에 빠져들었을 것이다. 안젤로 폴리치아노가 쓴 시 <회전목마의 방>을 소재로 작품 <봄>을 창작했듯이 보티첼리의 그림은 '붓으로 쓴 시'라고 할 수 있을 것 같다.

그의 그림에서 사람의 얼굴이나 신체는 지극히 사실적으로 보이면서도 배경이나 옷의 장식 등은 비현실적이고 신비로운 느낌을 주고 있어, 보는 이들이 신화 속에 직접 들어가 있는 듯한 느낌을 준다. 보티첼리 그림의 배경이 되는 풍경은 환상적이고 신비로우면서도 인물들은 생생하고 바로 앞에 있는 것 같다. 그 때문에 보티첼리 자신도 그렇고 의뢰 들어온 주문 건도 그렇고 신화에서 소재를 얻는 창작이 많았나 보다. 풍경과 도상, 인물을 모두 꿰뚫는 지식과 안목이 있었던 보티첼리였기에 그런 그림이 가능했을 것이다. 완전히 현실적이지도 완전히 비현실적이지도 않은 꿈 속에 나왔던 것 같은 장면.

명성이 절정에 달할 때는 시스티나 성당의 측면 벽화도 작업했으나, 말년에 사보나롤라 혁명 시 그의 신봉자가 된 보티첼리는 급진적 사고에 빠져들어 이교도적 주제에 대해 비판적 입장으로 급변했다. 기존에 자신이 창작했던 누드화 등을 모두 죄악이라며 1497년 악명 높은 '허영의 소각' 동안 불태워 없애버렸다고 하는데, 이것이 자기 자신의 선택이었는지 사보나롤라 세력의 강압이었는지 모르겠다. 사실이라면 사보나롤라는 아주 죽일 놈이다. 이후 보티첼리는 신앙의 영광스러운 면에 집착하여 <신비의 십자가> 등을 남겼고, 죽기 직전까지 단테의 <신곡>에 어울리는 삽화를 그리는 작업에 전념했다.

<비너스의 탄생>는 인간이 상상할 수 있는 절대적인 여성미를 그대로 구현해 냈다. 비너스는 하늘의 신 우라노스의 생식기가 바다에 빠지고 거기서 발생한 물거품에서 탄생한 여신이지만, 이 그림에서 묘사된 상황은 비너스가 태어난 상황이 아니라 태어난 후에 키테라섬으로 이동하는 장면으로서, 호메로스의 시에 바탕을 두고 있다. 비너스가 조개를 타고 있으므로 아름다운 미의 여신을 진주에 비유한 것 아닐까 생각되지만, 사실은 그냥 파도를 헤치고 온 배였을 따름이다. 그림 왼쪽에서는 바람의 신 제피로스가 꽃의 님프 클로리스를 매단 채 입에서 꽃바람을 불어 비너스를 해변으로 밀어 보내고, 오른쪽에서는 봄의 여신 플로라가 데이지 등 봄꽃으로 장식된 가운을 펼치며 비너스를 환영하고 있다. 그림의 주인공인 비너스는 '여긴 어디? 나는 누구?' 같은 표정을 하고 있지만, 미의 여신이라는 말 그

대로 순수와 우아의 개념을 여실하게 시각화해주고 있다. 오른손과 왼손으로 각각 가슴과 음부를 가리고 있어 정숙한 비너스(비너스 푸디카, venus pudika)라는 고전 조각의 특성을 따르고 있는데, 아마 당시 메디치가에 있던 <메디치가의 비너스> 조각과 그리스 화가 아펠레스의 작품 <물에서 태어난 아프로디테>에 대한 로마 학자 플리니우스의 묘사 글에서 영감을 얻었을 것으로 추측된다.

그림의 용도에 대하여 알려진 바에 따르면 그림 자체는 크고 아름답지만 실제 용도는 휴가용 별장에 그린 감상용이라고 한다. 타인에게 과시하기보다는 가문 주인의 개인적 감상과 정신적 명상을 위해 그려진 것으로 비교적 저렴하게 캔버스에 템페라화로 그려졌다고 한다. 일부에서는 또 메디치가의 결혼식을 기념하기 위하여 의뢰된 것이라는 주장도 있다. 기쁜 날을 축하하든 어지러운 마음을 안정시키기 위한 것이든 어느 측면으로나 볼 때 기분 좋은 용도로 그려진 것이라 할 수 있으며, 이는 눈으로 아름다운 것을 보면 정신도 아름다운 상태에 이를 수 있다는 당시 시대의 철학 사상을 반영한 것으로 볼 수 있다. 고대 플라톤의 이상향

개념을 계승한 신플라톤주의 관점에서 비너스가 육체적 즉, 심미적 완성형을 보여줌으로써 인간이 정신적이고 형이상학적인 이상향에 도달할 수 있다는 논리이다. 이렇게 해석하면 보티첼리의 비너스는 승리 또는 성공, 그가 도착한 키테라섬은 피렌체, 그를 반기는 플로라는 피렌체 사람들이라고 볼 수도 있겠다.

<프리마베라>는 시기적으로 <비너스의 탄생>에 근 10년 앞선다. 비너스의 탄생에 나온 인물들은 대부분 <프리마베라>에서 구상되었었다. <프리마베라>에서 비너스는 백색 드레스 위에 붉은 망토를 두르고 머리 위에는 에로스를 달고 장면 정중앙에 서 있다. 장면 오른쪽에 서풍 제피로스가 꽃의 님프 클로리스에게 꽃바람을 불어 봄의 여신 플로라로 변신시킨다. 이 인물들의 구도가 무언가 아쉬웠던 보티첼리가 10여 년 뒤 <비너스의 탄생>을 창작했나 보다. 한편 장면 왼쪽에는 새빨간 튜닉을 입은 헤르메스가 나무 이파리에 매달린 이슬을 떨어내고 있으며, 그 뒤로 시스루 드레스를 입은 3명의 미의 여신들이 춤을 추듯 손을 모으며 돌고 있다. 배경은 피렌체 인근 피에솔레 숲으로 울창한 나무들과 잔디밭 군데군데에 수줍은 꽃들이 얼굴을

내밀고 있다. 새로운 소식을 알리는 헤르메스, 절대미의 상징 비너스, 꽃의 여신 플로라 등 봄이 연상되는 신화의 모든 인물을 한데 모아 놓았다. 이 기세대로라면 여름, 가을, 겨울도 있어야 할 것 같은데 다른 계절에 대한 작품은 없다. 이 중 붉은 튜닉을 입은 헤르메스가 강한 인상에 비해 너무 장면 가장자리에 치우친 것 같아 아쉽다. 헤르메스를 따로 떼어 또 다른 그림을 창작했어도 좋았으련만 그런 건 그리지 않았나 보다. 다만 보티첼리가 그린 <성 세바스티아누스의 순교>의 성 세바스티아누스가 이 헤르메스와 많이 닮아 있는 듯하다.

보티첼리 작품들 외에도 우피치 미술관에는 미켈란젤로가 초기에 작업한 <성가족>, 레오나르도의 역시나 미완성인 <히에로니무스 성인> 등 위인들이 어수룩했던 시기의 작품과 같이 메디치의 안목이 아니면 현존하기 힘들었을 작품도 수두룩하다. 메디치는 항상 칭송이나 찬사와 함께 감사의 대상이 된다. 라파엘로가 그린 초상화의 옷주름과 결과 소재를 살리는 솜씨를 보면, 라파엘로가 왜 미켈란젤로를 잇는 후계라 하는지 이해가 된다. 여러 대가가 각자의 시각을 담아낸 <수

태고지>를 보며 하늘 아래 새로운 것은 없지만 만 명이 있으면 만개의 눈이 각각 다르다는 것이 체감되었고, 카라바조의 <바쿠스>를 직접 보니 취기가 돌았다. 3시간의 투어였지만 눈 깜짝할 새에 감동과 흥분만을 남기고 지나가 버렸다.

# 평행우주로 이끄는 베네치아 골목

오늘은 오전에 바쁘게 산타마리아 노벨라 성당을 둘러보고 베네치아로 이동하기로 한다. 어제 이탈리아 성당은 다 공짜라고 '혜자'라고 했었는데, 이제 이 말은 취소해야 한다. 이 작은 산타마리아 노벨라 성당의 입장료가 5유로이다. 산타마리아 노벨라는 성당보다 약국으로 유명하다. 외국인들도 잘 알고 있는지 모르겠지만 한국인들에게는 '장미수'로 유명해서 너무 많은 한국인이 다녀간 나머지, 아예 한국어 설명서를 배치해 두고 한국인이 가능한 직원이 응대해 준단다. 아마 한국 현지시장에도 진출했을 것이다.

산타마리아노벨라 성당은 1278년 도미니크회의 본산

으로 착공되어 1350년 완공되었는데, 당시 도미니크회 교회 중 최대규모였다고 한다. 미켈란젤로는 이 성당을 두고 '나의 신부'라고 일컬었단다. 미켈란젤로에게 어떤 매력으로 다가갔는지는 모르겠지만 일단 화려함이나 장식적인 아름다움과는 거리가 멀다. 대신 검박하고 조용하되 단아하고 참한 모습이 신비한 매력을 풍긴다. 두꺼운 벽으로 두른 내부는 어두컴컴하되, 간간이 작은 창문을 통해 들어오는 햇빛이 만드는 십자가의 실루엣이 성스러움 그 자체이다.

파사드는 15세기 부유했던 양모상인 조반니 루첼라이의 의뢰에 따라, 레온 바티스타 알베르티가 작업했다. 코린도 양식처럼 보이는 기둥으로 지지가 된 1층의 넓은 단 위에 정사각형이 줄줄이 늘어서 허리띠같이 보이는 프리즈를 얹고, 그 위로 2층 좁은 단을 얹은 후에 양쪽 텅 빈 부분에 물결 모양의 커브 장식을 첨가했다. 이렇게 해서 아래층에서 위층으로 갈수록 좁아지는 안정성을 확보하고, 시선을 자연스럽게 위쪽으로 옮겼다. 본당 내부에는 수많은 명화 작품이 남아 있다. 중앙문 위쪽에는 <예수 탄생>(보티첼리), 그 왼쪽에는 <수태고지>(피에트로 디미니아토), 토르나부오니 예배당에는 <성모자>와 <세례자 요한>(도메니코 기를란다요), 스페인 예배당에는 <교회의 승리>(안드레아 디 피렌체), 스트로치 예배당에는 <천국>과 <지옥>(나르도 디초네), <제단화>(안드레아 오르카냐), <마르스 신전을 지키는 악마>(필리피노 리피), 본당 바깥쪽 녹색 회랑에는 <홍수>(우첼로) 벽화가 있고, 중앙 십자가는 조토 디 본도네의 작품이다.

원근법으로 착시를 일으켜 유명하다는 마사초의 <삼위일체>를 찾았다. 거대한 제단 위의 벽화 속에는, 아치 복도 아래 십자가에 못 박힌 그리스도와 그 아래에서 떠받치고 있는 제자들, 그리고 아치 복도 밑에 기도를 드리는 코시모 1세, 그 밑에 누워있는 백골을 안치한 관이 각각 단을 달리하여 위치한 것처럼 입체적이다. '충분히 입체적이긴 하나 이 정도로 착시는 오버다.'라고 평가하려는 순간, 아뿔싸 그 아래 제단이 튀어나와 있지 않다. 차단선이 쳐진 곳까지 가까이 가보니 완벽한 착시 벽화다. 백골과 관도 그림이다. 알고도 보니 신기하다. 현대의 내가 이럴진대 그 먼 과거의 사람들은 어떻게 받아들였을까. 마술이라고 했을 만하다.

피렌체에서 출발한 고속열차는 약 2시간 후 베네치

아에 도착한다. 베네치아 메스트레역에서 베네치아 산타루치아역에 가는 철로는 바다 위를 달린다. 바닷물과 아주 근접하게 달려서 <센과 치히로의 행방불명>의 바다로 달리는 기찻길과 꼭 비슷하다. 이 열차 타는 것만으로도 미지의 세계로 모험을 떠나는 느낌이다. 베네치아 산타루치아역에 도착하니 정오이다. 기차역 정문을 나서니 직사로 내리쬐는 햇빛에 세로토닌이 대량합성되는 느낌이다. 역전 광장과 수로, 그 너머의 산 시모네 피콜로 성당은 여정의 중간쯤 지친 여행자에게 새로운 기대를 품게 하기에 충분하다. 로마에서 피렌체에 처음 도착했을 때와 같이 피렌체에서 베네치아로 오니 전혀 다른 나라에 온 것 같은 분위기다. 붉은 지붕, 돌덩이 건물은 온데간데없고 파란 돔 지붕 또는 고딕 양식의 조각 같은 정면으로 이루어진 건물들이 빼곡하다. 졸졸 이어지는 수로는 어디가 끝인지 가늠할 수 없고, 어디서든 물소리가 찰방찰방 귀를 간질인다. 좋게 말하면 점잖고 나쁘게 말하면 우중충했던 피렌체 사람들과도 정반대다. 이곳 사람들은 장사꾼 그 자체다. 약간 상기되어 있는 얼굴, 언제라도 재잘거릴 준비로 들썩들썩하는 입, 얼굴에 흥미가 가득하다. 이곳은 새로운 나라다.

숙소는 한인민박을 예약해 놓았었다. 주소는 미리 적어놓았고 구글지도로 확인했을 때 작은 수로에 면한 건물이었다. 출발해 보자. 여기로 갔다가, 저기로 갔다가, 여긴 아까 왔던 것도 같은데, 다시 저기로 가보니 완전히 새로운 곳이고. 숙소를 찾아 땡볕에 돌길에 이 다리를 건넜다 저 다리를 건넜다, 1시간 반 여를 헤맸다. 작은 길로 들어서면 분명 길을 잃어버리겠다는 위기감에 큰길로만 다녔는데 길은 더 미궁으로 빠져들었다. 기차역에 처음 도착했을 때의 행복감은 어느새 없어져 버렸다. 분노 게이지는 맥스를 향해 올라가고 있다. 미로라는 악명에 걸맞은 도시에서, 분명히 지도에 있어야 하는데 없는 길을 걸을 때는 캐리어고 가방이고 모두 다 팽개치고 그냥 주저앉고 싶었다. 노천 카페테리아에서 식사를 하며 여유를 즐기고 있는 사람들 모두 나를 흘끔흘끔 보며 비웃는 것 같다. 쳇, 자기들도 며칠 전 분명히 똑같은 경험을 했을 거면서.

도저히 찾을 수 없는 목적지를 참을 수 없어서 아무 호텔이나 들어가서 다짜고짜 내가 이 주소로 가야 하는데 어떻게 가느냐고 물었다. 컨시어지에서는 큰 지도

한 장 줄 테니 찾아보라며, 자기들은 모르는 골목이라고 했다. 아뿔싸. 순간 내가 사기당한 것 아닐까 하는 생각이 스쳐 지나갔다. 홈페이지며 전화번호며 모두 실체는 없는 것들이다. 어차피 알음알음 예약한 민박집이다. 인터넷에만 띄워 놓았을 뿐 사실은 없는 장소라고 해도 이상할 것 없다. 분노와 절망에 찬 망상을 하며 호텔을 나와 뒤로 돌아 딱 5분 정도 걸어가는 순간, 주소에 써진 골목이 보였다. 분명히 없던 골목인데. 아까 여기를 와봤던 것 같은데. 호텔에 들어갔다 나온 순간 다른 세계, 평행우주로 나온 것 아닐까 생각이 들었다. 파란만장한 여정 끝에 숙소에 도착했다.

숙소에 짐을 풀고 산마르코 광장으로 나섰다. 베네치아 사람들 모두 그리고 여행자 모두 이곳에 집결해 있다. 골목골목마다 사람들이 붐비긴 했었는데, 이곳 광장에 비할 바가 아니었다. 말 그대로 광장이 사람들로 가득 차서 발 디딜 틈이 없다. 나폴레옹이 말하길 '세상에서 가장 아름다운 홀'이라던데, 내가 보기에는 세상에서 가장 붐비는 도떼기시장, 인간박물관 같다. 남자, 여자, 젊은 사람, 늙은 사람, 아시아인, 유럽인 등등 온갖 종류의 인간을 다 볼 수 있다. 베네치아 일 년 방문객이 몇천만 명이라던데, 그럼 하루에 최소 몇만 명은 온다는 것이고 그 몇만 명을 한 곳에서 구경하자니 여간 재밌는 일이 아니다.

광장은 중앙에 베네치아의 상징 날개 달린 사자상과 엠마누엘레 2세 오벨리스크가 있다. 동쪽에는 산마르코대성당, 두칼레궁전이 있다. 나머지 3면을 둘러싼 궁전은 '알라 나폴레오니카(나폴레옹의 날개, Alla Napoleonica)'라고 불리며 16세기 정부청사로 건립되었다가 현재는 박물관으로 활용 중이다. 광장 한편에서 금빛으로 빛나는 산마르코 성당은 일부 복구공사 중이었다. 로마나 피렌체와는 완전히 다르게 황금을 양껏 활용한 비잔틴 양식이다. 도시가 바뀌었는데, 시대와 나라가 바뀐 것처럼 예술양식이 전혀 다르다. 과거에는 이탈리아가 세계의 전부였을 것 같다. 르네상스 시기 그리스도와 성인의 얼굴은 레오나르도의 대표적인 스푸마토 기법처럼 은은하게 명암으로 윤곽을 구분하는데, 이곳 베네치아에서는 명확하게 선으로 경계를 지어놓은 것이 웹툰 같은 느낌이다. 십자가형 구조 자체는 다른 성당과 비슷했지만, 분위기는 이슬람 모스크 같다.

성 마르코는 이집트 알렉산드리아에서 포교 중에 이

교도들에게 잡혀 순교하였다. 베네치아의 수호성인이 된 것은 베네치아 상인들이 9세기경 알렉산드리아에서 성 마르코 유골을 반출하면서부터이다. 좋은 말로 반출이라고 하고, 실제로는 절도라고 읽지 않을까. 상인들은 가져온 유골을 보관하기 위해 830년 성당을 창건하였다. 10세기경 내란 시 화재로 파괴되었다가 복구하였고, 11세기에 현재 모습으로 재건되었다. 십자군 전쟁의 혜택을 가장 많이 본 도시답게 동방에서 노획해 온 전리품으로 하나둘씩 성당을 장식하였으며, 1204년 4차 십자군이 콘스탄티노플 마장마술 경기장에서 훔쳐온 고대 그리스의 도금 말 청동상 4기를 꼭대기 테라스로 올려 장식하였다. 말 청동상을 4개씩이나 올리다니 지독한 놈들일세. 이 정도 광기이니 미켈란젤로가 <다비드>를 베키오 궁전 지붕에 설치하라고 졸랐나 보다. 지붕과 회랑 등 모자이크 벽면은 12세기부터 14세기까지 성령강림, 승천, 그리스도 임마누엘, 요한계시록, 성유체의 반입, 구약성서, 기적, 수난, 부활 등을 소재로 장식되었다. 둥그런 모스크 같은 지붕 위로 삐죽 첨탑이 솟은 모습은 근대까지 건물 마감 장식에 영향을 미친 것 같다. 런던 세인트판크라스, 벨기에 안트베르펜 등 유럽 많은 기차역에 가보면 산마르코 성당의 전면과 같은 모양이 보인다.

성당 옆 두칼레궁전을 비롯하여 산마르코 광장 사면의 궁전은 베네치아 박물관으로 활용된다. 통합티켓은 16유로이고 총 3일간 유효하나, 사실 두칼레궁전을 빼면 고만고만한 지역 박물관 등이라 별로 흥미가 생기지 않았다. 두칼레궁전의 황금계단을 올라가던 과거 베네치아 총독(doge)이 사용하던 집무실, 접견실 및 회의실이 나온다. 두칼레궁전은 679년부터 1797년까지 베네치아를 다스린 120명 총독의 관저였으며, 현재의 궁전은 9세기경 최초로 건설되었다고 전해진다. 피렌체 베키오궁전은 여기도 돌, 저기도 돌, 단단한 궁전이었는데, 베네치아 두칼레궁전은 고딕양식으로 날렵하게 장식된 기둥이 연속하여 죽 늘어선 발코니가 탄성을 자아내는 아름다운 궁전이었다. 최초에는 투박한 요새 같은 고딕양식 건물이었으나, 화재 이후 재건 및 수차례 보수, 증개축으로 현재의 모습을 갖게 되었다. 이 과정에서 르네상스는 물론 비잔틴까지 다양한 건축 양식이 결합하여 '베네치아 고딕'이라는 별명을 얻게 되었다. 백색과 분홍색의 대리석으로 장식된 건물은 곧게

뻗은 직선의 남성성에 더해 수많은 아치로 정교하게 장식되어 여성성이 가미되었다. 두칼레궁전 2개의 정문 중 산마르코 대성당 쪽의 문은 '문서의 문'이라 하여 과거 관보 게시판의 역할을 하였다.

두칼레궁전의 주인인 베네치아 총독이란 직업은 이상하다. 시의원들의 투표를 통해야 하므로 선출되기는 쉽지 않은데, 정작 선출된 이후에는 사사건건 평의회 승인을 받아야 하고, 적어도 2명 이상의 의원과 동행해서만 베네치아 외부로 출장 갈 수 있으며, 두칼레궁전에서의 모든 공식행사 비용을 사비로 감당해야 하는 극한 직업이었다. 돈 많고 나이도 많은 거부가 죽기 전에 돈을 다 써버리고 싶을 때 지원했던 직업이었나 보다. 예나 지금이나 정부 수반이 결코 권력만 누리는 직업은 아니다. 조선 시대 왕들이 격무에 시달려 요절하고 과로사했던 일이나, 지금도 대통령이 눈에 띌 정도로 노화 속도가 빠르고 그 비서실장은 치아가 다 빠져버리는 것은 권력의 정점을 누린다는 게 결국 목숨값이라는 이야기이다. 치기 어릴 때는 그저 높으신 분들의 위세가 대단하고 부러웠는데, 나이 들고 죽음이 가까워지면서 수명을 담보로 하는 권세는 노땡큐라는 생각이 든다.

DAY 8 베네치아

# 카사노바 이야기

두칼레궁전과 수로 건너편 감옥을 잇는 다리는 '탄식의 다리(Ponte dei Sospiri)'이다. 다리라고는 하지만 사면이 폐쇄되었기 때문에 걸어가다 보면 그냥 복도를 지나는 것 같다. 옛날 베네치아 공화국 시절, 죄수들이 법정에서 선고를 받고 감옥으로 이송되면서 건넜던 다리로서, 창문을 보면서 만감이 교차해서 한숨을 쉬었다는 곳이다. 특히 카사노바(Casanova)도 이 다리를 건넜다는 일화로도 유명하다. 사람들은 항상 카사노바가 도대체 두칼레 감옥을 어떻게 탈출했을까, 궁금해한다. '새로운 집'이라는 뜻의 이름조차도 실존 인물 같지 않다. 후견인 백작에게 뇌물을 써서 혹은 백작부인과 정분을 통해서 탈출했다고 주장하는 사람도 있는데, 아니다. 카사노바는 그냥 다른 탈옥범들이 탈출하듯이 벽, 엄밀히 말하면 천장을 뚫고 지붕으로 올라가서 탈출했다. 그냥 평범하게 말이다.

1725년 베네치아에서 출생한 자코모 카사노바는 고향을 떠나 25세경 파리에서 이 마을 저 마을 옮겨 다니면서 오페라 소재 같은 오입질을 계속했다. 비밀스러운 의례에 대한 흥미 때문에 프리메이슨에 가입해서 쓸만한 인맥과 검열되지 않은 지식도 얻었다. 더불어 장미십자회에도 관심을 보였다. 카사노바는 파리에 2년 머무르면서, 언어를 배우고 극장에 다니고 유명인사들과 조우했다. 그러나 곧 그의 수많은 애인들이, 그가 다녀갔던 거의 모든 도시에 있었기 때문에, 파리 경찰에 들통났다.

어쩔 수 없이 카사노바는 1752년 드레스덴에 이어 프라하, 비엔나를 방문하였다. 그러나 당시 만연했던 도덕적 분위기는 그의 취향이 아니어서 1753년 베네치아로 돌아왔다. 그는 복귀하자마자 문란한 행위를 계속해 나가면서, 적들을 양산하고 경찰에게 초미의 관심사가 되었다. 그의 경찰기록은 신성모독, 추행, 폭력, 풍기문란으로 점점 늘어났다. 한 감시인이 카사노바의 신비주의, 프리메이슨 행적에 대해 본격적으로 조사하기 시작했고, 그의 소장도서를 금서목록으로 지정했다. 그나마 그와 연줄이 있던 브라가딘 백작이 그에게 당장 떠나지 않으면 극단적인 상황을 맞을 것이라고 심각하게 충고했고, 이튿날 30세의 카사노바는 체포되었다. 죄목은 신성모독이었다. 귀족들은 그를 '납덩이'에 가두기를 원했다. '납덩이'라는 말은 납으로 지붕을 감싸고 있는 두칼레궁전 동편 꼭대기층에 위치한 7개의 감방을 말하는 것이다. 중형의 죄인이나 정치범들을 가두는 교도소였다.

카사노바는 옷 한 벌, 초라한 침상 한 채, 책걸상이 있는, 어둠과 베네치아의 여름 열기, 그리고 벼룩들이 들끓는 최악의 감방에 갇혔다. 그러나 몇 달 지나지 않아 감방 동료를 사귀고, 브라가딘 백작의 호의로 겨울 이불과 좀 더 좋은 음식을 제공 받았다. 카사노바는 체력단련 중에 쇠 막대기 하나를 찾았다. 이후 약 2주 동안 그것을 뾰족하게 갈아서 그의 침대 밑에 구멍을 파봤는데, 재판관 사무실이 그의 감방 바로 밑에 있다는 것을 알아냈다. 카사노바는 도시에 축제가 열려 아래층에 재판관과 교도관들이 아무도 없을 때 탈출하고자 계획했다. 허나 아뿔싸, 탈옥 시도 3일 전에 더 넓고 좋은 다른 방으로 이감되었다. '현재 방이 더 행복하고 더할 나위 없이 만족스럽다'는 카사노바의 탄원에도 불구하고 말이다. "나는 인사불성 상태로 팔걸이 의자에 앉았다. 굳어버린 동상처럼 움직이지도 않았다. 나의 모든 노력이 수포로 돌아간 것을 알았고, 후회하지도 않는다. 아예 희망이 없어진 것 같이 느껴지기도 했다. 유일하게 나에게 남은 편안함은 미래를 생각하지 않는 것이었다."

하지만 카사노바는 다시 타성을 이기고, 새로운 탈출 계획을 세웠다. 이웃 감방의 발비라는 파계 신부에게 도움을 요청했다. 카사노바는 쇠꼬챙이를 팔걸이 의자에 숨겨서 들어와서는, 발비가 교도소장을 속이려 넓적한 파스타 접시 밑에 들여온 책에 숨겨서 발비에게 전달하였다. 발비는 그의 천장에 구멍을 내고, 카사노바의 방 천장에도 구멍을 내었다. 발비가 낸 천장 구멍으로 사라지면서, 쪽지를 남기며 시편을 인용했다. "나는 죽지 않고 살아서, 신의 위업을 전할 것이다."

카사노바는 안개가 자욱한 틈을 타 발비와 함께 두칼레궁전의 납판과 지붕을 건너갔다. 바로 수로로 떨어지는 것은 위험했다. 카사노바는 지붕에 난 창을 통해 안쪽 방을 살펴보고 창문을 깨서 진입했다. 지붕에서 발견한 사다리와 방에서 갖고 온 '침대보 밧줄'을 이용해서 25피트 밑에 있는 방으로 내려왔다. 그들은 아침까지 기다렸다가 옷을 갈아입었다. 그들은 궁전 복도, 갤러리들과 방을 지나쳐서 아래층으로 내려와, 경비들에게 자신들이 공식연회의 손님이었는데 우연히 어떤 방에 갇혀있었다고 속이고 문을 통해 나왔다.

일부 의견에 따르면 카사노바의 탈출기를 신뢰성이 부족하다고 하며, 그가 단순히 후원자에게 뇌물을 건네서 탈출했다고 보는 시각도 있다. 그러나 천장을 수리했다든지 하는 물리적 증거들이 남아 있는 것으로 보아 탈옥이 맞다고 보아야 할 것이다. 그리고 1787년 카사노바가 직접 서술한 '나의 탈출기'에서 증언했다. "결국 신께서 나에게 탈출에 필요한 것을 주셨다. 기적이 아니라면 놀라운 것이다. 나는 내가 운 좋게 성공해서 자랑스러운 것이 아니다. 내가 그것을 계획하고 실행한 용기에 자랑스러운 것이다."

카사노바는 다시 파리로 돌아갔다. "나는 깨달았다. 어떤 것을 성취하기 위해서 나의 모든 육체적이고 정신적인 역량을 걸어야 한다는 것을. 위대하고 강력한 친구를 두어야 한다는 것을. 엄격한 자기 통제와 카멜레온 같은 가변성을 지녀야 함을." 파리를 다시 찾은 그는 예전보다 성숙했고, 아직은 비록 급하게 생각하고 행동했지만, 더 계산적이고 치밀했다. 그의 첫 번째 과업은 새로운 후원자를 찾는 것이었다. 옛 친구이자 지금은 외무장관이 된 베르니에게 연락했다. 그의 후원자는 호응을 얻기 위해서 국가를 위한 자금을 모아보라고 조언했다. 카사노바는 즉시 최초의 국가복권위원회의 이사이자, 최고의 판매원이 되었다. 복권사업은 그에게 즉시 큰 이익을 가져다주었다. 자금을 모으자 그는 상류사회를 돌며 다시 유혹을 시작했다. 그의 입장에서 보면, "바보를 속이는 것은 영리한 사람이 할 만한 공적이었다."

카사노바는 자신을 장미십자회원이자 연금술사라고 소개하고 마법사의 돌을 찾는다는 등 하면서, 마담 퐁피두르, 생제르망 백작, 알램버트, 장 자크 루소 등과 같은 동시대의 저명한 인사를 찾아다녔다. 귀족사회에서 연금술이 큰 인기를 끌자, 그런 류의 지식을 갖고 있다는 이유때문에 카사노바를 찾는 곳이 많아지고 그 역시 즐겨 찾았다. 그러나 생제르망 백작은 혀를 내둘렀다. "그는 기이하고, 사기꾼 중에 가장 뻔뻔하다. 그는 태연하고 태평하게도 자기가 300살이나 되었다고, 자신이 우주의 묘약을 갖고 있다고, 아무것으로나 다이아몬드를 만들 수 있다고 한다."

아슬아슬한 사교활동을 이어가던 카사노바는 됭케르크 지역에 스파이로 파견됐다. 카사노바는 신속한 업무 처리로 사례를 괜찮게 받았는데, 이 노작 경험을 바탕으로 그의 앙시앵레짐과 그가 의지하고 있던 계급에 대한 평가를 남기기도 했다. "모든 프랑스 장관들은 다 똑같다. 그들은 다른 사람의 주머니로부터 돈을 갈취해서 자식들을 먹인다. 그들은 절대적이다. 탄압받은 사람들은 아무 데도 믿을 데가 없고, 그러므로 국가 부채와 금융 혼란은 불가피한 결과이다. 혁명은 당연하다."

7년 전쟁이 시작되자, 카사노바는 다시 국가재정을 증가시키도록 정부로 불려 왔다. 그에게 당시 유럽 최고의 금융 중심지이던 네덜란드 암스테르담에서 국채를 파는 임무가 주어졌다. 이듬해 그는 순이익으로만 방직공장을 차릴 정도로 성공했다. 프랑스 정부는 매우 흡족해서 그에게 프랑스 시민권을 주고 재정부에서까지 일하도록 제안하였으나 그는 거절하였다. 아마도 그의 방랑벽 때문이었을 것이다. 카사노바는 최고점에 다

다랐으나 오래 유지하지는 못했다. 그는 방만한 경영으로 인하여, 과도하게 대출받았고, 그의 '하렘'에 들어온 여직공들을 위시한 영구적인 애인들에게 그의 부를 지출하였다. 그는 또다시 빚 때문에 감옥에 갇혔으나, 뒤프 후작부인의 탄원 덕분에 4일 만에 석방되었다.

그러나 불행하게도 후원자 베르니가 루이 15세로부터 신망을 잃었고, 카사노바는 다시 신변 위협을 느꼈다. 그는 위험에서 벗어나기 위해 전 재산을 팔아서 또다시 도망쳤다. 네덜란드, 독일, 프랑스, 영국, 프러시아, 스페인을 거쳐 이탈리아로 돌아왔다. 로마에서 자신의 도망 일생 등을 소재로 집필을 하던 중, 1774년 고향 베네치아에 입국을 허가한다는 통지를 받았다. 최초의 탈출 이후 18년 만이었다.

베네치아로 돌아온 카사노바는 '납덩이'에서의 탈출 등으로 유명세를 탔다. 이제 카사노바는 후원자들보다는 본인 스스로의 자립을 통해 먹고살기를 희망했으나, 인세는 터무니없이 적었다. 어쩔 수 없이 저잣거리의 돌아다니는 소문거리에 기반하여 종교, 상업 등을 주제로 기사를 쓰고 소규모의 보수를 받았다. 카사노바는 늙어 가는 중이었다. 도박을 하자니 돈이 없었고, 여성을 후리자니 외양이 추해졌다. 그의 명성을 기억하는 사람은 사라졌고, 그의 어머니와 그가 사랑했던 여인들도 하나둘씩 세상을 떠났다.

와중에 볼테르와 종교에 대한 논쟁이 붙었다. 카사노바가 물었다. "미신을 철폐한다면, 다른 무엇으로 대체할 거요?" "뭐요? 내가 인류를 탐식하는 흉포한 괴물을 처치한다면, 나한테 그걸 대신할 또 다른 무언가를 만들어 내라는 말이요?" 볼테르의 답은 순진무구했다. 카사노바는 탄식한다. "그가 진정한 철학자였다면, 그냥 입 닥치고 있어야 했다. 집단의 안녕을 위해 인간은 무지 속에 살 필요가 있다."

1783년 카사노바는 베네치아 귀족들을 조롱하는 글을 썼다가 또 추방당했다. 그는 파리로 떠나서 열기구 이동학회에 참석한 벤자민 프랭클린을 만났고, 또다시 체코로 떠났다. 말년에 카사노바는 미치지 않고 슬픔에 싸여 죽지 않기 위해 자서전 집필에 몰두했다. 가끔은 자서전이 너무 노골적이고, 현존하는 사람들의 명예를 고려하여 출간하지 말까 생각도 했지만 결국 출간하기로 했다. 이탈리아어보다 더 많이 쓰이는 프랑스어로 말이다. 그는 <회상록> 첫 부분에 이렇게 썼다. "생애에 걸쳐 내가 행했던 좋고 나쁜 일들을 통해, 나는 내가 상을 받거나 죄를 지었다고는 것을 인정하고 나 자신이 자유로운 영혼임을 시인하게 된다. 내 가슴속에서 자란 귀한 원칙들의 필연적인 귀결인 뛰어난 도덕적 기반에도 불구하고, 나는 전 생애에 걸쳐 감각의 희생자였고, 타락 속에서 희열을 느꼈고, 끊임없이 잘못을 저지르며 살았다. 나의 불찰, 어린 날의 불찰. 내가 그것을 보며 웃는 것을 알고 당신이 관대하다면 당신도 나와 같이 웃게 될 것이다." 1797년 나폴레옹이 베네치아를 점령하였다. 카사노바가 고향에 돌아가기에는 너무 늦었다. 카사노바는 체코에서 1798년 사망했다. 그는 말했다. "나는 철학자로 살다가 교인으로 죽었다."

피렌체의 망나니 벤베누토 첼리니에 비하면 카사노바의 생애는 간소한 줄거리이다. 살펴보면 기술적 재능은 별로 없었던 것 같고, 오히려 문예 쪽에 관심이 있었던 것 같지만 그조차도 베스트셀러를 내기에는 모자란 글재주였던 것 같다. 말도 못 하게 수려한 외모도 아니었던 것 같고 오히려 평균보다 조금 뒤처지는, 하지만 여성을 유혹하는 스킬이 뛰어났던 일종의 러브코치 아니었나 싶다.

그래도 카사노바를 색마로 단정하며 폄하하는 것은

너무 단편적으로 평가하는 것같다. 허황된 말에 혹하고 '있어 보이는 것'을 탐내는 인간에 대한 날카로운 통찰력도 있었고, 원하는 사람을 누구든지 아군으로 만들 수 있는 사교성이 있었다. 능력 있는 스파이였고, 복권 사업을 성공시킬 만큼 장사수완도 있었다. 이 모든 것이 비록 자랑스러운 것은 아니지만, 어쨌든 걸출한 능력인 것은 사실이다. 단순히 색마, 색광으로 치부하기에는 그의 철학자적인 면모나 멀티엔터네이터 같은 능력이 아깝다.

DAY 8 베네치아

# 그림 보러 우리 집 놀러 와

두칼레궁전에서 나와 페기 구겐하임 미술관(Guggenheim Collection)으로 향했다. 일전에 뉴욕 구겐하임 미술관 앞까지 가본 적은 있는데 아쉽게 미술관 관람을 못하여 여기는 꼭 가보기로 했다. 구겐하임 미술관은 뉴욕, 베네치아, 빌바오, 베를린에 있어 죽기 전에 네 군데를 다 가보고 싶은데 어떻게 될지 모르겠다.

구겐하임 미술관들은 소장품보다도 건축물 자체의 명성이 높다. 뉴욕 솔로몬 구겐하임은 '낙수장(Waterfall)'을 건축한 프랭크 로이드 라이트가 설계했다. 세탁기라는 오명을 뒤집어쓴 뉴욕 구겐하임은 정확히는 화분 모양이다. 아래는 좁고 위는 넓은 원통형 건물에 층과 계단이 없이 1층부터 꼭대기층까지 나선으로 쭉 이어진다. 관람객들은 쇼핑을 하듯 설렁설렁 위아래층을 산책하며 작품을 감상한다. 한 자리에 서서 긴 시간 동안 심도 있게 작품을 감상해 달라는 작가들의 요구에 정면으로 배치된다. 이게 과연 미술관으로서 맞는 방향인지는 모르겠지만 첫인상과 직관성을 중요시하는 오늘날의 유행과는 어느 정도 맞아떨어지는 것 같다. 텅 빈 중앙 공간은 현대 설치미술을 전시하기에도 적격이다. 프랭크로이드 라이트가 이런 시대를 예상하고 만든 것인지는 모르겠다. 내 개인적인 상상을 덧붙인다면 이런 화분 모양의 클럽이나 공연장을 만들면 인기가 많을 것 같다. 가운데가 뻥 뚫려 있어 누군가는 춤과 공연을 즐기고 그 위층으로는 끝없이 이어지는 복도에서 누군가는 또 내려다보는 형태는 관종(노출증)과 관음증을 모두 충족시켜주지 않을까.

빌바오 구겐하임은 프랭크 게리가 설계했다. 물고기에서 영감을 얻어 설계한 이 건물은 직선이 하나도 없어 굽어지고 휘어지며 물살을 따라 꿈틀거리는 모습을 연상케 한다. 티타늄으로 벽체를 마감하여 맑은 날과 흐린 날에 따라 다르게 하늘빛을 희미하게 반사해 내며 물고기 비늘 같은 느낌을 준다. 멀리 떨어져서 보면 덩그러니 떨어진 거대하고 강철판의 날카로운 모서리에 손을 베일 것 같아 어쩐지 두려움이 든다.

유명 건축가들의 독특한 건축물로 명성을 얻은 다른 구겐하임들과 달리 이곳 베네치아 페기 구겐하임은 전형적인 저택 가정집에 자리를 잡은 미술관이다. 도보로도 갈 수 있지만 수로로도 접근이 가능하여 부유한 저택의 느낌이 물씬 났다. 페기 구겐하임 여사는 18세기에 건립되었던 이 팔라초 베니에르 데이 레오니(Palazzo Venier dei Leoni)를 매입하여 사망 시까지 30여 년간 거주했다고 한다. 페기 여사 생전에는 미술관으로서의 역할은 아니었고 저택에 그냥 컬렉션을 모아두고 계절별로 사람들에게 공개했었단다. 그러던 것을 페기 여사 사후 구겐하임 미술관에서 베네치아 분관을 공식 개관하여 활용하고 있다고 한다. 으리으리한 미술관만 보다가 가정집 미술관을 보니, 새삼 하우스콘서트를 열던 박창수 피아니스트님이 떠올랐다. 집에서 즐기는 예술이라, 생각만 해도 편하고 신난다. '우리 집에서 피아노 연주할 건데 놀러 와! 우리 집에 그림 있으니까 놀러 와!' 음악이나 미술은 모르겠고, 도서관이라도 만들고 싶다.

마거리트 페기 구겐하임 여사의 아버지는 타이타닉호로 사망한 부유한 실업가 벤자민 구겐하임이고 삼촌은 뉴욕 구겐하임 미술관을 설립한 솔로몬 구겐하임이다. 젊은 나이에 상속받은 막대한 재산을 바탕으로 20세기 초 활발하게 전시회를 개최하고 예술가들을 발굴 육성할 수 있었다. 삼촌 등 가문의 피에 예술에 대한 탁월한 안목이 흐르는 것 아닌가 생각도 들지만, <어느 미술 중독자의 고백>으로 볼 때, 애초에 미술에 대해 대단한 전문지식이 있었던 것은 아니고 어찌 보면 교육과 학습을 통해 식견을 배양한 결과인 것 같다.

페기 여사는 21세에 재산을 상속받자마자 22세에 프랑스 파리로 이주했다. 이때 결정적으로 <샘>의 작가이자 다다이즘의 선구자로 불리는 마르셀 뒤샹의 도움을 받아 수많은 전시회와 예술가들의 작업실을 방문하면서 현대미술에 대한 심도 있는 지식을 습득하고 다다이즘, 입체주의, 초현실주의 등 당대의 유행을 간파하였다. 만 레이, 콘스탄틴 브랑쿠시, 막스 에른스트 등과 각별하게 지내면서 미술에 대한 견문을 넓혀 갔고, 막스 에른스트와는 결혼도 했다.

40세가 되던 해 런던에 '구겐하임 죈느(Guggenheim Jeune)'라는 갤러리를 개관하고 하루 한 점씩 미술작품을 구입하여 초현실주의 컬렉션을 완성한다. 44세에 뉴욕으로 다시 건너가 그간 수집한 유럽작품들을 토대로 '금세기미술 화랑(Art of This Century Gallery)'을 개관했다. 그로부터 윌리엄 바지오츠, 알렉산더 칼더, 한스 호프만, 마크 로스코 등의 작품을 대중에게 선보이면서 '뉴욕화파'의 시초를 열었고, 특히 '액션 페인팅' 아버지 잭슨 폴록을 발굴했다. 1, 2차 세계대전의 위협 속에서 유대인 신분에도 굴하지 않고 독일을 포함한 전 유럽에서 귀중한 작품을 수집하고 작가들을 발굴할 수 있었던 뒷배경에는 그녀의 도전정신과 동료 작가들의 우정이 있었다. 49세에 드디어 페기 여사는 베네치아로 이주하여 1948년 베니스 비엔날레 그리스관에 그간 모은 유수의 컬렉션을 선보임으로써 사람들의 주목을 받았다. 이후 30여 년간 베네치아에서 거주하다가 사후 컬렉션을 모두 뉴욕 구겐하임 미술관에 이관했다. 출생으로 보면 패리스 힐튼, 지지 하디드나 켄달 제너 같은 다이아몬드 수저집 딸인데, 업적으로 보면 간송 전형필 선생에 버금간다. 간송 선생은 일제

치하에서 우리 보물을 지키기 위해 힘쓰셨는데, 페기 여사는 나치 치하에서 미술계의 원석을 보전해 주었다.

창작에 집중했던 김환기 화백의 작품에 의미를 부여하고, 미적, 학문적 설명을 덧붙이고, 대중에게 노출시키고 홍보함으로써 경제적 가치를 창출해 주었던 사람은 배우자 김향안 여사였다. 영원히 알려지지 않고 묻힐 것 같았던 고흐가 지금의 위치에 오르게 된 배경에는 그가 쓴 편지들과 그림들을 씨실 날실 엮어 사람들에게 내보인 제수 조안나 반 고흐가 있었었다. 피카소나 베르나르 뷔페처럼 창작과 동시에 유행이 되어 큰 인기를 누리는 예술가도 있지만, 대부분의 예술가들은 세상에서의 쓸모나 가치를 부여하는 역할을 하는 사람이 필요한 법이다. 예나 지금이나 작가가 작품을 아무리 만들어 내도 그것을 알리고 팔리게 만드는 사람이 있어야만 작가의 자기만족을 넘어 문화 발전과 정신의 풍요에 기여할 수 있다. 그렇기 때문에 부자들이 끊임없이 메세나에 투자하고 있고, 사회는 또 그걸 미덕이라고 하나 보다. 돈 없는 사람의 대표주자인 나는 돈 많은 사람들을 보면서 부러워만 하는 게 전부인데, 돈 많은 사람들은 나름의 소명의식이 또 있나 보다. 그나

저나 패리스 힐튼은 이제 한물가서, 요새 젊은이들 중에는 거의 아는 이가 없는 것도 같다. 패리스 자체도 이제는 좀 조용히 살고 싶으려나.

야간개장이라서 미술관에 오후 5시쯤 느지막하게 입장했더니 관람객이 별로 없다. 외진 곳에 있어 원래 별로 관람객이 없는 것 아닌가 의심스러웠는데, 다음 날 낮에 집 밖 담장을 둘러 줄을 선 것을 보고 깜짝 놀랐다. 유명세에 맞게 피카소, 막스 에른스트, 잭슨 폴록, 앙리 무어 작품들이 많이 있었고, 콜더의 모빌, 르네 마그리트의 작품도 있었다. 별관에서는 프랑스 특별전이 열렸는데 조르주 쇠라, 폴 시냐크, 막시밀리안 루주 등의 작품이 있었다. 인상주의 그림은 비교적 최근 작품들이고 하도 많이 창작이 되었는지 유럽 어느 박물관에 가봐도 몇 점씩은 꼭 있는 것 같다.

구겐하임 미술관 앞쪽에 아카데미아 다리가 있다. 아카데미아 다리 중간에 오르니 저 멀리 산타마리아 델라 살루테 성당이 정면에 보이고, 굽어 흘러가는 대운하 양 옆으로 바로크 양식의 화려한 건물들이 열을 따라 늘어서 있다. 카날레토의 명화에서 많이 보던 아름다운 풍경이다. 카날레토는 이름부터 명실상부 운하의 화가이다. 본명조차 조반니 안토니오 카날이다. 학생 시절 로마에서 수학한 것을 제외하면 평생 베네치아에서 베네치아 구석구석의 풍경을 화폭에 담으며 그 아름다움을 남겼다. 유명한 건물들과 풍경을 원근법에 따라 정확하게 묘사한다. 구도도 잘 선정해서 두칼레궁전과 산타마리아 델라 살루테 성당 등 여러 명소를 한 장면에 모두 담아낸다. 그의 작품들만 모아도 베네치아 전체 도시의 모습이 완성될 것 같다. 카날레토가 그린 과거의 산마르코 광장으로부터 현대 광장에 이르기까지 크게 달라진 점이 없다는 것이 놀라우면서도 편안한 마음을 들게 한다.

DAY 9 베네치아

# 저희 죄인을 위하여 빌어주소서

아침부터 부슬비가 온다. 여행은 날씨가 절반인데 이번 여행에서는 유독 비나 흐린 날을 많이 맞아서 불쾌감이 커진다. 그럼에도 불구하고 이 정도 만족감이라면, 좋은 계절의 이탈리아는 얼마나 좋을지 상상이 안 간다. '이런 날 아웃렛을 가야지.' 하고서 부랴부랴 숙소를 나와 기차역을 지나 다리를 건너 버스 정류장으로 갔다. 10시에 출발하는 아웃렛 셔틀버스를 찾는데, 버스가 없다. 분명히 피플무버(People Mover) 앞이라고 했는데. 물어봤더니, 수상버스 '트론체토' 정류장 피플무버로 갔어야 하는데, '피아잘레 로마' 정류장 피플무버에서 찾아 헤맸던 것이다. 이미 시각은 9시 45분.

트론체토 정류장까지 가기는 무리다. 나는 어이없게 참 생각지도 못한 데서 일을 망치는 병맛 같은 능력이 있다. 분명히 피플무버긴 피플무버였는데. 원래 오늘 계획은 아웃렛 다녀와서 오후 5시에 페니체극장 송년음악회에 가려고 했는데 어쩔 수 없이 계획이 틀어졌다. 기차를 타고 아웃렛에 가는 방법도 있었지만, 기차비도 내고 올 때 왕복비 10유로 전부를 내고 셔틀버스를 타기가 아까워서 그냥 내일로 미뤘다. 결과적으로 이날 아웃렛을 갔어야 했는데 못 갔기 때문에 이틀 동안 후회하는 계기가 되었다.

우선 산로코 대회당(Scoula Grande di San Rocco)으로 향했다. 산로코 대회당은 자선기관 성 로코 재단의 본사다. 성 로코는 전염병을 물리치고 건강을 돌봐주는 성인인데, 아마 흑사병 극복을 기념해서였는지 1478년 재단이 설립되었다. 대회당은 베네치아의 대가 틴토레토의 역작들을 한 큐에 관람할 수 있는 곳이다. 틴토레토라는 말은 원래 '작은 염색공'이라는 뜻의 일종의 예명이고, 본명은 자코포 로부스티이다. 예명을 기술인으로 지은 것 보면 애초에 거창한 예술을 하기보다는 빠른 손놀림과 좋은 수완으로 다작을 하기로 마음먹었었나 생각이 든다.

1564년 대회당을 중앙홀 '살라 델랄베르고(Sala Dell'albergo)'를 장식하기 위한 공모전이 열렸다. 예명대로 틴토레토는 빠른 작화속도로 유명했다. 콘테스트가 열리면 경쟁자들은 초안 데생 스케치를 가져오는 반면 틴토레토는 채색본을 가져왔기 때문에 주최 측에서 선정하지 않을 수 없었다. 속으로는 욕 했겠지. '이걸 이렇게 다 그려오면 어쩌라고.' 더불어 틴토레토는 <로코 성인에 대한 찬미>도 무료로 기증했다. 이 정도면 거의 강매가 아닌가 싶다. 첫 계약을 계기로 틴토레토는 산로코 대회당의 거의 전속화가처럼 활동한다. 1565년 <그리스도의 십자가형>을 완성했고, 1567년 홀의 장식을 마감했는데, 홀의 장식 대부분은 그리스도의 수난을 소재로 한다. 1576년부터 1581년까지 2층 홀의 천장 및 벽에 <놋뱀> 등 구약성서 내용을 중심으로 25점을 그렸고, 1582년부터 1587년까지는 1층 홀에 그리스도와 성모 마리아의 일생을 담은 8점의 유화를 더 그렸다. 이 정도면 산로코 공무원 아닐까 싶다. 궁정화가까지는 아니더라도 꽤 안정적인 직업에 그 일대에서는 유지였을 수도 있겠다. 틴토레토가 대회당에 그린 모든 작품을 합치면 글을 모르는 문맹도 성경 일화를 습득할 수 있는 거대한 성경 그림책이 된다. 정말로 이 그림들을 모아 책으로 출간해도 좋을 것 같은데.

2층 대회의실에 들어가면 천장화를 보느라 고개가 떨어질 것 같은 관람객들을 위하여 거울이 비치되어 있다. 성베드로 대성당 시스티나 성당에는 앉아서 보라고 의자를 배치해 놓았는데, 여기는 의자는 물론 거울까지 대령해 놓았다. 서비스 정신이 좋은 것 같다가도 거울의 크기를 보고는 의아해진다. 이걸 들고 보라는 건지 바닥에 놓고 보라는 건지. 거울이 거의 허리까지 오는 상반신용 벽걸이 거울이다. 무게가 어마어마하지만 하지만 그래도 나름 쏠쏠하게 잘 이용했다. 나이가 들고 시력이 안 좋아지니 미술작품이 더 입체적으로 보이는 것 같다. 거리감이 없어져서 그런가. 어떤 패널은 정말 착시미술처럼 보였다. 눈이 나빠진 걸 슬퍼해야 하나, 기뻐해야 하나.

틴토레토는 실력이나 명성으로 보자면 르네상스의 천재들은 물론이고 티치아노 보다도 한참 아래이지만 구도의 역동성만큼은 누구 못지않다는 생각이 든다. 그는 두칼레 궁전의 <천국>도 그렇고 산로코 대회당 그림들도 그렇고 거대한 그림을 놀라운 속도로 그렸다고 한다. 머리에 지나가는 장면을 찰나에 잡아서 화폭에 옮긴 것 같다. 그래서인지 그림에 안정적으로 앉아있거나 서있는 사람이 거의 없다. 다들 엉덩이가 들썩들썩하기도 하고 역동적으로 춤을 추는 것도 같다. 180도 뒤집혀 날아다니는 사람도 있다 <성 마르코의 기적>에서 성 마르코는 보는 사람이 불편할 정도로 뒤집혀 있다.

사진문화가 널리 퍼지고 사진 찍는 비용이 인하되면서 이제는 정형화되고 경직된 사진보다 찰나의 순간을 담은 자연스러운 스냅사진을 더 많이 찍는데, 르네상스 미술에서의 구도도 레오나르도의 모나리자에서 시작해서 점점 틴토레토의 성 마르코 그림 같은 방향으로 전개되지 않았나 생각이 된다.

보슬보슬 비는 계속 내린다. 본섬 제일 끝까지 이동해서 산타마리아 델라 살루테 성당에 도착했다. '건강과 안녕의 성모마리아' 성당이다. 날이 맑으면 하늘색 쿠폴라가 더 환하게 빛나고 예뻤을 것 같다. 흑사병을 퇴치하고 설립한 성당이라 그런지 아직은 우울이 서려있지만 희망을 가지고 미래지향적으로 지은 건물이다.

1630년경 흑사병으로 인해 베네치아 인구의 30%가

절멸했다. 내 왼쪽 아니면 오른쪽 두 집 중 한 곳은 상갓집이라는 말이다. <페스트>를 읽어도 실제 감염병이 도시를 휩쓰는 풍경이 잘 상상되지는 않는다. 쥐가 갑자기 튀어나오더니 피를 통하고 뒤집어서 죽었다는 것이 과연 요즘 시대에 가당키나 한 일인가. 사람이 까맣게 변하고 혹이 나더니 죽는다. 상상으로는 도저히 떠오르지 않는다. 당시 사람들도 그랬을 것이다. 어떤 이상한 일이 생겨서 누구는 시름시름 앓다가 죽고 누구는 또 이겨내고는 했을 것이다. 정확한 원인도 모르겠고 어떻게 하면 살 수 있는지도 모르는 가운데 온갖 민간요법과 근거 없는 유사의학이 판을 쳤을 것이다. 동네에는 멈추지 않는 피 냇물이 끊임없이 흐르고 코를 찌르는 피 비린내에 멀미가 났을 것이다. 이 지옥이 언제 끝날지 모르겠지만 제발 우리 가족은 무사히 지나가기를 빌고 또 빌었을 것이다.

가톨릭 교회의 '주의 기도'에서는 "우리를 유혹에 빠지지 않게 하시고, 악에서 구하소서."하고 기도하는데 '성모송'은 "이제와 저희 죽을 때에 저희 죄인을 위하여 빌어주소서."하고 기도한다. 주이신 하느님은 나를 심판하고 상벌을 내리는 분이지만, 성모마리아는 성인들과 같이 나를 도와주고 내 편을 들어주는 분이다. 하느님은 맨날 벌만 내리는 분이다. 노아의 방주도 그렇고, 애굽의 장자도 그렇고. 하느님께 "이제 그만 병 좀 물리쳐 주세요." 하고 빌면, 하느님은 "이것들이 아직 매운맛을 못 봤군. 이게 다 너희 인과응보다." 하고 더 혼내실 것 같다. 하지만 성모마리아는 은애와 인자의 상징 아닌가. 내가 좀 잘못한 게 있어도 "사람이 다 그렇지요, 뭐." 하면서 너그럽게 봐주실 상이다. 그리고 성모마리아는 예수 그리스도의 어머니이시니 아무래도 발언권이 좀 있겠지. 말하자면 저 같은 쇤네를 위해서 마님께서 좀 잘 말씀 좀 해주십시오, 하는 셈이다. 개신교 교회에서는 아예 인정하지 않지만, 성모마리아는 적어도 삼위일체 다음으로 중요한 분이다. 그래서 옛날 사람들도 하느님께 바로 기도하기보다는 성모마리아를 경유해서 구원의 기도를 올렸나 보다. 이탈리아 같은 남유럽에서는 유독 성모마리아께 바친 성당이 많은 것 같다. 그리고 온갖 성당을 가봐도 유독 성모상 앞에 촛불, 꽃, 하다못해 동전통 등 무언가 바치는 것들이 많다. 그리스 로마 신화의 아테나나 성모마리아나, 사람들은 항상 여성들에게 무언가를 바치고 싶어 하나 보다.

1631년 베네치아 공화국 의회는 전염병이 끝나면 성모마리아께 가장 아름다운 성당을 헌납하겠다고 서약했다. 그리고 흑사병은 끝났다. 설계안 공모를 거쳐 무명 건축가 발다사레 롱게나의 안을 채택한다. 그전에 이렇다 할 만한 작품이 없었던 발다사레 롱게나는 성당이 완공되고 1년 후 사망한다. 그의 모든 생애를 바친 역작인 셈이다.

성모마리아의 두건을 상징하듯 푸른색 돔은 거의 완전한 구형으로 완전한 수를 상징하는 팔각형의 바로크 성당에 안정적으로 얹혀 있다. 마치 공을 담기 위해 컵을 만든 모양새다. 이런 느낌, 판테온에서도 받은 것 같은데. 정문은 그리스 신전 모양의 벽기둥에 삼각형 지붕을 올려 개선문 같기도 하고 판테온 입구 같기도 하다. 8개의 건물 면의 벽감과 꼭대기마다 모든 천사와 성인들의 가득 차 있다. 좋아하는 피겨를 성당에 전시해 놓은 것 같다. 누구든지 이곳에 와서 좋아하는 성인을 붙잡고 소원을 이야기하라는 뜻인 것 같다. 거대한 크기의 성당에 오밀조밀 장식을 새겨 넣어 어여쁘다.

본당으로 들어가면 원형극장에 들어온 느낌이 든다. 돔 아래는 2개의 층으로 나뉘는데 층고가 높은 아래층은 8개 면마다 아치가 들어있고 그 아치는 사반구 모양이다. 위층에는 각 면마다 2개 씩의 아치 창문이 들어있어 내리쬐는 햇빛이 본당 구석구석 비춰준다. 팔각형 건물이라 그런지 여타 성당들과 다른 구조의 신랑(nave) 모양이다. 그리스도를 상징하는 십자가가 아니라 팔각형 모양의 성전은 성모마리아의 자궁을 상징하는 중앙 원형 부분에서 여덟 곳으로 퍼진 성모마리아의 별을 상징한다. 신자석은 8각 면을 따라가며 놓여있고, 성당 정중앙 원형 부분은 아무런 구조물 없이 비어있다. 십자가의 교차 부분에 쿠폴라가 위치한 다른 성당들로부터 응용하여 산타마리아 델라 살루테 성당의 쿠폴라는 성당 한가운데 있다. 쿠폴라 안쪽 천장은 천장화 없이 밋밋하다. 제단과 벽들에는 틴토레토와 티치아노의 작품이 있다.

매년 11월 21일 페스타 델라 마돈나 델라 살루테(성모헌정 축제) 때 베네치아 공직자들은 산마르코광장에서 별도로 설치된 배다리를 건너와 감사 행사를 개최한다. 제사를 잘 치르면 조상신이 항상 보우하시는 법이다.

DAY 9 베네치아

# 비둘기와의 전쟁 후 송년음악회

날씨는 여전히 꾸물거린다. 9일간의 쉴 틈 없는 여정 끝에 다리의 피로가 몰려오면서 관광 의욕이 쑥 떨어졌다. 어디 좀 앉아서 쉴 수 있으면 좋으련만. 밥값이든 찻값이든 자릿세를 상납하지 않고는 엉덩이 붙일 자리를 한 뼘도 내주지 않는 장사치 베네치아인의 인정 덕분에 계속 돌아다녔다. 춥고 배도 고프고 하니 식당에 가서 점심이라도 먹으면 좋으련만, 막상 메뉴를 정하자니 딱히 입맛 당기는 것이 없다. 피렌체와도 달리 커피세트도 무지 비싸서 8유로씩이나 한다. 배는 좀 고프겠지만 일단은 추위라도 피하자라는 심정으로 페니체 극장에 가서 뭉개려고 해 보았지만 매정한 개표

직원은 이탈리아어로 딱 한마디 "5시(cinque)!"라고 외친 채 영어든 이탈리아어든 더 이상의 언어를 구사하지 않는다. "Only five o'clock?" 너무나 당황한 나는 의미도 없고 필요도 없는 외마디 비명 같은 질문을 내지르고는 뒷걸음질 쳐서 극장 밖으로 빠져나왔다. 직원의 기세에 밀려 도망친 것이나 다름없다. 정처 없이 계속 걷자니 발도 아프고 시나브로 젖어드는 옷에 슬슬 짜증도 난다. 문득, 어제 지나가면서 얼핏 본 산마르코 광장의 간이 벤치, 엄밀히 말하면 철봉 위에 깔아놓은 합판이 생각나길래 괜히 또 들떠서 가봤다.

두칼레궁전 처마 밑 한편에 합판 벤치 딱 한 개가 차려져 있었고, 자리도 딱 한 자리 남아 있었다. 마치 불쌍한 빈민을 위해 긍휼한 성모마리아께서 마련해 주신 것 같았다. 비도 질퍽질퍽거리고, 바닷바람도 싸늘했다. 앉아 있다 보니 졸음이 밀려왔다. 두리번거리니 회랑 안쪽 벽면에 붙어 있는 돌벤치가 눈에 들어왔다. 옳다구나 하고 이동했다. 안쪽이니 덜 춥겠지 하는 예상이 무색하게 싸늘한 바닷바람은 계속 스며들어왔다. 그나마 등을 기댈 수 있다는 것이 다행이었다. 잠시 후 옆 자리에 웬 커플이 왔다. 말투를 들어보니 동유럽 출신인 것 같다. 가방에서 빵 쪼가리와 사과를 꺼내 나누어 먹는다. 젊은이들의 소꿉놀이 연애는 귀엽고 아기자기한 데가 있다. 커플은 간단히 요기를 하자마자 기세 좋게 일어났다. 젊다는 건 좋다. 그새 기력이 다 회복되었나 보다. 남자와 여자는 바지에 붙은 빵 부스러기를 바닥에 탁탁 털고 자리를 떠났다.

그러자 진격의 거인 떼들처럼 비둘기 수십 마리가 몰려왔다. 광장에 있던 놈들은 건물 턱을 점프해서 올라오고, 먼 데 앉아 있던 놈들은 쌩 하고 날아서 이쪽으로 돌진해 왔다. 분연한 비둘기의 폭동을 목격한 나는 질겁했다. 비둘기들이 내 발을 밟을 것 같았다. <나 홀로 집에>의 비둘기 아줌마처럼 나까지 둘러쌀 것 같았다. "저리 가! 저리 가! 이 망할 비둘기 놈들! 빌어먹을 커플 놈들!" 비명을 지르며 용수철처럼 튀어 올랐다. 인간에 비하면 비둘기 따위는 하찮은 미물인데! 비둘기는 나에게 아무런 상처도 주지 않을 텐데! 하지만 똥이 무서워서 피하나 더러워서 피하지. 아무리 강력한 무기라도 인간의 청결 욕구에는 무너지는 법이다. 오늘 인간 대 비둘기의 전투는 참패이다. 도망가는 와중에 별안간 떠올랐다. '두칼레궁전 통합티켓으로 다른 박물관도 갈 수 있다!' 여태 왜 그걸 잊고 있었지. 재빨리 코레르 박물관(Museo Correr)으로 입장했다.

3시간 동안 산마르코광장에서 떨고 도망 다닌 헛짓거리를 위로하고 망각시키려는 듯 환영의 빛이 나를 감쌌다. <플란다스의 개> 네로가 눈발을 헤치고 추위에 떨다가 아늑한 성당의 <성모승천> 앞에 엎드렸을 때처럼, 사방이 반질반질한 대리석과 휘황찬란한 장식으로 가득 찬 공간에 나를 맡겼다. 따뜻한 온기에 몸을 묻었다. 코레르 박물관은 베네치아 토박이 귀족이던 테오도로 코레르가 수집했던 보물을 사후 기증한 것이다. 건물 자체부터 위용이 대단하다. 나폴레옹이 베네치아를 점령했을 때 점령본부로 차지했었고, 오스트리아 합스부르크 왕가도 한 때 자리를 잡아서 엘리자베스 '시시' 황후도 이용했었더랬다. 이런 위대한 건물을 왜 지역 박물관이라 무시했었을까. 조각의 대가 안토니오 카노바의 작품들, 피사노 가문의 문고 등 볼 만한 전시품도 많고 무엇보다 궁전이라 그런지 천장과 벽등 인테리어가 입이 떡 벌어진다. 예정에 없이 얼떨결에 찾아온 박물관이지만 모르고 지나쳤더라면 너무나 아쉽고 후회했을 곳이다. 지금까지 내가 다녀간 도시와 장소들에서도 그렇게 후회로 남을만한 명소들이 많이 있었겠지. 다음에 꼭 다시 오자, 다짐은 하지만 인생은 장담할 수 없어 슬프다. 보석 같은 곳들은 그저 기억 속에 간직하며 살아가야 하겠지.

이제는 체력이 정말 다 떨어져 도저히 걸을 수가 없다. 이제 식욕도 좀 돌고 마침 박물관 카페가 보여 흥분하며 라테마키아토를 주문했다. 옆쪽 진열대에 보니 프로슈토 샌드위치가 있어 같이 시켰다. 허기진 배를 달래기 위해 한 입 크게 베어 물었다. 아뿔싸. 이탈리아 햄은 내 입맛에 영 안 맞는다는 것을 깜빡했다. 잘 숙성된 프로슈토는 원산지의 풍미를 한껏 풍기며 누린내와 쉰내를 여과 없이 분출하고 있었다. 발효가 잘 되었다는 것은 이방인에게 그만큼 쉽게 허락해주지 않겠다는 의지였다. 애초에 홍어를 먹지 못하는 내가 유럽 원산지의 햄을 탐냈던 것이 모순이고 역설이다. 입에 들어가는 순간의 역함은 눈으로 보고 코로 냄새 맡을 때와는 전혀 다른 차원이었다. 엊그제 라스페치아 맥도널드에서 이탈리아 햄의 구린 맛을 충분히 보았다고 생각했는데 인간은 망각의 동물이라더니 그새 또 잊어버리고 외양에 혹해 햄을 탐내고 말았다. 눈물을 훔치며 햄이 묻지 않은 빵 쪼가리만 조금씩 떼어먹고 말았다. 비바람에서 구출된 값이라고 쳐야겠지만, 피 같은 돈 10유로가 아까웠다.

오후 4시 40분쯤 되어 드디어 페니체 극장에 입성했다. 페니체 극장은 밀라노 스칼라극장에 비해 규모나, 실력면에서 한 수 아래라고 한다. 그렇다 해도 비교적일 뿐이지, 몇백 년을 이어온 음악 예술에 대한 전통과 연륜이 어디 가랴. 세계적으로 보면 어디에도 밀리지 않을 정도의 수준이란다.

극장 입구에서 표를 제시하고 신나는 마음으로 서둘러 입장했다. 나는 바로크시대 귀족의 느낌을 느껴보고 싶어 특별히 박스석으로 주문했다. 3층 박스석은 1인당 165유로. 예매는 인터넷 사이트를 이용했다. 층마다 안내해 주는 가이드도 있고, 비용을 내야 가능한 건지 옷을 받아주는 사람도 있다. 박스석은 보통 관람객이 도착하기 전에는 폐쇄해 놓았다가 안내원에게 표를 보여주면 문을 열어준다. 박스석은 4인 1실이며, 앞 열에 의자 둘, 뒷 열에 둘씩 총 4 좌석이 있다. 앞 열 사람들에 비해 상대적으로 뒷 열 사람들이 관람하기 힘드니까, 앞열 사람들이 배려심에서 양 벽에 붙어준다. 가족이나 일행끼리 왔을 때는 오붓하고 다정다감하게 관람하기 좋겠지만 그 외에는 딱히 메리트가 없는 박스석이었다. 물론 다들 공연 관람이 목적이라 옆 사람이 무얼 하든지 크게 개의치는 않았지만, 모르는 사람끼리는 수다 떨기도 그렇고 좁은 공간에 2시간 여를 붙어 있으니 어색한 공기에 숨이 막혔다.

송년음악회라 그런지 흥겨운 곡들을 많이 하는 것 같다. 새해의 기운이 느껴지도록 베토벤 <교향곡 7번>으로 시작하고, 루이지 덴차의 <푸니쿨리, 푸니쿨라>, 푸치니의 <토스카>와 베르디 <라트라비아타> 등을 연주했다. 자리가 멀었는지 테너 성량이 약했는지, 소프라노는 안 그랬는데 테너 소리는 악기 소리에 파묻혔다. 경직되지 않고 화기애애한 분위기 속에 소프라노, 테너가 관람객들이랑 농담도 많이 하는 것 같았다. 소프라노가 입은 빨간 드레스가 예쁘다고 사람들이 칭찬했는지, 장난으로 뽐내면서 가슴을 추켜올리면서 애교를 부렸다. 그리고 지휘자가 키가 굉장히 작았는데, 키가 큰 소프라노를 데리고 나오고 들어갈 때 종종거리면서 쫓아갔다. 한 번은 그렇게 쫓아가다가 소프라노의 치마를 밟아서 다 같이 웃어제꼈다. 연출이었는지는 모르지만,

이렇게 연말에 사람들의 긴장을 풀어주고 웃게 해주는 음악회가 긴 전통을 가지고 있는 것 같아서 부러웠다.

인터미션 때 로비에 나가보니 다들 샴페인 잔을 들고 두런두런 이야기하고 있다. 송년음악회라 그런지 역시 부부가 같이 온 경우가 많다. 나이가 지긋한 중년 또는 노년의 커플이 우아한 복장으로 와서 다른 커플과 담소를 나누는 장면은 이제는 부럽다 하기도 모자란, 그저 남의 이야기 같다. 캐주얼한 음악회라서 그런지 드레스까지 입은 여성은 없어 보였지만, 그래도 평소에는 절대 입지 않을 듯한 과감한 원피스 등을 입은 사람이 많았다.

원래 오늘 일정을 세우기로는 오전에 아웃렛에 갔다가 오후 3시경 복귀해서 오후 5시에 음악회를 보려고 했는데, 하루 일정을 완전히 바꾸도록 아침에 거하게 삽질을 해준 과거의 나에게 감사한다. 덕분에 비둘기와 전투도 하고, 코레르 박물관도 관람해 보고, 어쨌든 하루의 마지막은 흥겨운 음악회로 잘 끝냈으니 인생이라는 게 이렇게 우여곡절, 다사다난해도 말년이 행복하면 좋을 것 같다.

DAY 10 베네치아

# 성당과 섬, 아웃렛과 정신줄 사이

어제 하루 내내 부슬대던 비가 말끔하게 그쳤다. 날이 활짝 개었다. 어제 비가 왔으니 보상이라도 하겠다는 듯, 청명한 가을날씨다. 하지만 내 마음은 울적하다. 어제같이 흐린 날 아웃렛을 가고, 이렇게 좋은 날 시내 관광을 가야 하는데. 도대체 왜 계획에 오류가 있었던 건지, 뭐가 미흡했던 건지, 경위서라도 쓰고 싶다.

기차역 앞 페로비아 정류장에서 바포레토 12시간권을 끊었다. 베네치아 3일 차에야 처음으로 수상버스를 탔다. 리알토다리에서 내려 다리를 올라갔다. 베네치아 대운하에 있는 3개의 다리, 리알토, 아카데미아, 스칼치 중 제일 크고 아름다운 다리이다. 다리 자체보다도 다리에서 바라보는 베네치아의 풍경이 절경이라고 한다. 그런데 이게 맞는 말인지 모르겠다. 내가 본 바로는 아카데미아 다리에서 바라본 산타마리아 델라 살루테 성당이 가장 아름다웠다.

2번 바포레토를 타고 산자카리아 정류장을 거쳐 산조르지오 섬의 정류장에 내린다. 산조르지오 섬은 10세기부터 19세기초까지 베네딕트 수도회의 본산이었다. 이곳에는 '로톤다의 아버지' 안드레아 팔라디오가 설계한 산조르지오 마죠레 성당이 있다. 섬에는 성당만이 거의 유일한 건물이라 섬 자체가 건물을 위해 존재하는 것 같다. 성당은 대운하 아니, 이제는 바다의 한 조각을 사이에 두고 산마르코 광장을 마주 보고 있다. 산조르지오 마죠레 성당은 산마르코 성당과 균형을 이루고 성당탑은 산마르코 종탑과 균형 잡힌 대칭을 이룬다.

성당은 1565년 설계하여, 1631년 완공하였다. 팔라디오의 고전건축 양식을 전형적으로 보여주는 또 하나의 걸작이다. 입구 파사드는 그리스 신전 입구 2개를 겹쳐 놓은 듯한 모습으로, 앞부분 입구는 키가 크고 좁고, 뒷부분 입구는 키가 작고 넓다. 이거 완전 꺽다리와 뚱뚱보다. 같은 형태이지만 서로 다른 규모의 문을 겹쳐 놓으니 방문객들에게 어서 옵시오, 하고 말하는 듯도 하고, 앞부분보다 건물에 붙어있는 뒷부분이 더 넓어서 그런지 들어설 때 위압적인 느낌에서 안정된 느낌으로 바뀐다. 뒷부분 입구의 진짜 문은 아치 형태로 그리스 건축에 로마 건축을 한 스푼 섞은 느낌이다. 내부 신랑 양쪽 기둥은 그리스 건축 같은 모양으로 네 개씩 짝을 이루어 가며 궁륭을 받치고 있고 들보는 보이지 않는다.

제단에는 역시나 틴토레토가 그린 <최후의 만찬>이 남아 있다. 제단에 최후의 만찬이 그려져 있으니 묘한 느낌이 난다. 미사 볼 때 '이 것은 내 몸이다. 이 것은 내 피다.' 하는 말이 더 실감 날 것 같다. 틴토레토의 <최후의 만찬>에서는 그리스도가 제자들의 발을 씻기고, 포도주와 빵을 나누어주는 모습이다. 역시나 다빈치의 <최후의 만찬>과 닮은 구석이 한 군데도 없다. 테이블은 화폭의 대각선으로 놓여있고, 오만가지 사람들이 제각기 분주하다. 물통을 들어 발을 씻어주는 사람, 흥분한 듯 일어나서 대화를 하는 사람, 빵을 더 달라는 듯 팔을 뻗어 요구하는 사람. 들리지 않아도 시끄럽고 정신없다. 그리스도의 후광이 작게 느껴지는 그림이다. 다빈치의 <최후의 만찬>보다 생기 넘치고 발랄하다. 우리네 일상과 닮아있다.

수로 주변의 집들이 아름드리 색색깔을 뽐내 뮤직비디오 배경으로도 많이 이용되는 부라노 섬에 가볼까 하여 14번 바포레토를 타고 11시경 푼타 정류장에 도착했다. 부라노섬 가는 12번 바포레토는 11시 52분에 있는데, 너무 늦다 생각하여 본섬 폰다멘테 노베 정류장에서 더 먼저 출발하는 12번 바포레토를 일찍 탈 계획을 짰다. 하지만 이건 경기도 오산이었다. 다시 14번 바포레토를 타고 산마르코 광장에 이동하니 11시 30분이다. 이 정도면 아가 푼타 정류장에서 그냥 기다릴 걸 그랬다. 폰다멘테 노베역까지 걸어가는 도중 산라자로 데이 멘디칸티 성당을 지나쳐 가는데 벽화가 대단하다. 멀리서 봤을 때, 벽감을 파고 조각을 놓은 줄 알았는데, 이 모든 것이 벽화였다. 피렌체 산타마리아 노벨라 성당에서와 같이 멀리서 볼 때는 정말 깜빡 속았다. 오늘날의 극사실주의 그림은 아예 사진을 보면서 작업한다고 하지만, 그 옛날 착시그림을 그린 사람들은 상상만으로 어떻게 이렇게 정교하고 정확한 그림을 그릴 수 있었을까, 대단하다. 폰다멘테 노베역에 12시경 도착해서 1번 바포레토를 타고 12시 30분경 유리공예로 유명한 무라노 섬에 도착했다. 무라노섬은 예정에 없었는데 괜히 오게 되어 또 짜증이 났다. 무라노섬을 둘러보고 아웃렛에 가려면 부라노섬을 못 갈 것 같은데, 부라노섬이 못내 아쉬웠다. 부라노섬의 특산품인 레이스는 부피도 많이 차지하지 않고 가격도 저렴해서 기념품으로 딱 좋을 텐데, 무라노섬의 유리공예는 부피도 많이 차지하고 깨질까 봐 살 수도 없다. 쓰린 마음을 달래며 빨리 둘러보려고 다녔다.

그런데 의외로 재미있다. 전통이 길고 아름답다고 하니 '공예품인데 아름답겠지. 얼마나 대단하겠어.' 하고 봤는데 정교함과 창의력이 신기하고 놀랍다. 큰 작품은 큰 대로 입이 벌어지고, 작은 작품은 작은 대로 앙증맞은 것이 귀엽다. 유리공예도 미술의 분야라 색감이 중요한 것 같은데, 작가들의 색깔 조합과 모양에 아이디어가 너무 다채롭고 풍부해서 어떻게 저렇게 표현할 생각을 했을까, 감탄하게 만든다. 바포레토 정류장 앞에는 기러기떼인지 오리떼인지 막 날개를 펼치고 날아오르려는 모습을 여러 장면 순간 포착해서 예닐곱 마리의 새를 장대 위에 앉혀 놓았는데 감쪽같이 진짜 새

같다. 한 공방은 유리로 만든 풍선이 특기인 듯 창가에 여러 개의 풍선을 매달아 놓았다. 창밖에서 보기에는 진짜 풍선이 두둥실 떠오르는 듯 한없이 가볍다. 유리로는 기껏해야 화병이나 거울같이 꼭 필요한 용도로만 실용품을 만들 것이라는 예상을 깨고, 컵과 컵받침, 티스푼과 스푼 받침대까지 이루어진 세트나 다양한 동물들로 이루어진 사파리 장식품, 악기를 연주하는 아기천사 장식품을 보니 너무 사랑스럽지만 깨질까 봐 사 갈 수는 없는 현실이 두고두고 아쉬웠다.

내리쬐는 햇빛과 햇빛을 반사해서 오색으로 반짝이는 유리공예를 보고 있자니 우울했던 기분이 많이 풀어졌다. 미리 알아보고 공방 체험 예약까지 했더라면 더 보람찬 시간을 보낼 수도 있었을 텐데, 부라노섬에만 집착하여 제대로 알아보지 못한 것이 안타까웠다.

베네치아 근교의 노벤타 디 피아베 아웃렛으로 길을 떠난다. 노벤타 디 피아베 아웃렛은 베네치아 북동쪽 피아베 지역에 위치한 아웃렛이다. 유럽지역 아웃렛 체인으로 유명한 맥아더글렌사의 지점이다. 베네치아 트론체토 정류장 모노레일 피플무버 정류장 앞 대형 주차장에서 오전 10시 또는 오후 2시에 출발하고, 복귀는 오후 3시 또는 저녁 7시에 한다. 트론체토 정류장에서 버스를 타면 약 50분 정도 소요된다.

오후 1시경 무라노 파로 정류장에서 4.1번 바포레토를 타고 타고 피아잘레 로마 정류장에 도착했다. 원래 피아잘레 로마 정류장에서도 2번 탈 수 있는데, 또 삽질하느라 페로비아 정류장으로 이동해서 2번 바포레토를 탔다. 가는 동안 셔틀버스를 또 놓칠까 봐 심장이 벌렁벌렁했다. 1시 50분에 트론체토 메르카토 정류장에 도착했다. 셔틀버스는 트론체토 메르카토와 트론체토 정류장 사이 큰 주차장에 있었다. 모노레일 피플무버 정류장 앞 쪽이다. 트론체토 메르카토 역에서 나와서 큰길로 나온 다음 왼쪽으로 부리나케 달려갔다. 다리야, 제발 나 좀 살려라. 간당간당하게 1시 55분에 셔틀버스에 올랐다.

아웃렛은 사려고 계획한 물건도 없고 그냥 구경이나 해보자, 라는 심정으로 갔는데, 나올 때 영수증을 보니 '내가 정신줄을 놓았던 것이 아닌가.' 하는 생각이 들었다. 보테가 베네타, 페라가모, 프라다 등 있을 만한 브랜드는 다 있다. 다만 각 브랜드에서 유명한 시그니처 상품들이나 유행을 타지 않을 고전적인 디자인은 없고 해괴망측한 디자인에 부담스러운 색감이, 정말 딱 이월상품 재고 처리인 것이 보인다. 그래도 당하지 않을 수 없는 이유가 소매가와 아웃렛 가격을 같이 적어 놓으니까, 안 사면 손해인 것처럼 느껴지기 때문이다. 아무튼 무서운 곳이다. 베네치아에서의 마지막 날, 무서움에 치를 떤다.

DAY 11 밀라노

# 밀라노 대성당, 나의 신부

베네치아를 떠나 밀라노를 경유하여 프랑스 니스까지 이동하는 긴 여정의 날이다. 기차 이동시간이 7시간, 밀라노에서 머무르는 시간이 7시간 반, 꼬박 하루가 걸리는 여정이다. 밀라노에서는 이탈리아에 올 때 가장 보고 싶었던 곳 중 하나인 밀라노 대성당과 레오나르도 다 빈치의 <최후의 만찬>이 있는 산타마리아 델라 그라치에 성당에도 들른다. 지금까지의 여정은 오늘을 위해서였다고 해도 과언이 아니다.

새벽 6시에 베네치아에서 고속열차를 타니 9시경 밀라노에 도착했다. 오는 길에 이탈리아 북부의 기름지고 너른 평원을 실컷 감상했다. 기차를 타면 몇 뙈기 되지 않는 논, 그리고 그마저 가로막고 있는 산밖에 보이지 않는 우리나라의 가혹한 환경을 보다가 이렇게 완만하고 너른 평원이 그득한 외국을 보면 부러움, 시기, 질투가 솟아난다. 이 땅이 우리나라에 주어졌다면 한국인들이 얼마나 요긴하게 썼을까. 가만 놔두지 않았을 것이다. 아니면 어쩜 한반도 환경이 가혹한 환경이어서 한국인들이 그렇게 악착같아진 것인지 모르겠다.

밀라노 첸트랄(Milano Centrale) 역 유인 짐 보관소는 지하 2층에 있다. 보관소에 캐리어와 큰 배낭을 맡기고 지상층 로비로 올라왔다. 세상에나. 밀라노 중앙역의 웅장함이란 상상을 초월한다. 크기는 궁전을 방불케 하고 내부 장식은 고상하다. 건물 자체만 놓고 보면 박물관이라 해도 손색없을 정도이다. 지하철 1호선을 타고 두오모 역으로 갔다. 두오모 역에 내려서 대성당 방면 출구로 나오는데 계단을 올라가는 동안 성당이 보이지 않아도 위엄이 느껴진다. 드디어 출구를 다 나왔다. 아침 푸른 햇빛을 받은 거대하고 새하얀 성당이 두 눈에 꽉 차게 들어왔다. 이토록 아름답고 거대한 건물을 이토록 감격스럽게 보는 것은 아마 처음이자 마지막일 것이다. 청명하고 새파란 하늘 하며, 그와 대조되어 더 하얗게 빛나는 성당 하며, 휘황찬란하다는 말이 적격이었다. 산타마리아 노벨라 성당이 미켈란젤로의 '나의 신부'라면, 나는 밀라노 대성당을 '나의 신부'로 삼아야겠다.

대성당의 기원은 14세기까지 거슬러 올라간다. 밀라노 영주 잔 갈레아초 비스콘티가 취임하자 대주교 안토니오 디 살루초는 오랫동안 염원해 왔던 대성당 건립 숙원사업 계획을 건의했다. 위치는 밀라노 정중앙지점, 옛 로마의 유적지이자 모든 도로가 뻗어나간 곳이었다. 1386년 착공하여, 설계변경과 오랜 시공으로 1577년 헌당하고 1890년 본당을 완공하였고, 부대공사까지 완료된 것은 1951년에 이르러서였다. '조선왕조 500년'에 비견되는 '대성당 600년'이다. 시공 당시에 완공되지는 않은 성당이지만 착공 100년, 200년 기념식을 했을 것 같아 웃음이 지어졌다. 스페인 바르셀로나에 사그라다 파밀리아 성당이 200년간 공사하고 있다고 하는데, 밀라노 대성당은 중세의 사그라다 파밀리아 성당이라 부를 수 있을 것 같다. 아니, 사그라다 파밀리아 성당이 현대의 밀라노 대성당인가.

500여 년 세월 동안 수많은 건축양식을 거쳤다. 착공

이후 초기에는 고딕양식을 적용했으나, 16세기에는 이탈리아 고유의 르네상스 양식이 부각되도록 스타일을 바꾸었다. 17세기 초, 프란체스코 마리아 리치니와 파비오 만고네가 입구 5개, 정면 청동문과 중앙창문 2개를 건립했고, 1649년 카를로 부치가 외관을 다시 최초의 고딕양식으로 되돌렸다. 한편 이 즈음 프랑스 황제에 즉위한 나폴레옹은 밀라노 대성당에서 이탈리아 국왕 즉위식을 하고 싶어 안달이 났었고, 프랑스 회계당국을 들볶아 두오모 설립을 위한 전 비용을 일시부담하기로 보장하고 공사를 독촉한다. 나폴레옹에게 감사할 점이 하나 생겼네. 새로운 수석엔지니어 프란체스코 소아는 성당 위쪽 창들에 신고딕 양식의 세부장식을 덧붙였다.

빼곡한 첨탑과 플라잉 버트레스, 프랑스 고딕 스타일의 동쪽 앱스, 팔각형 모양의 르네상스식 쿠폴라, 18세기 시대의 스파이어, 바로코 양식의 세부장식, 신고전주의 양식의 파사드 등 수많은 사조와 양식의 장식들이 부조화의 조화를 이룬다. 파리 노트르담 성당과도 일견 비슷한 점이 있는 것 같고, 쾰른 대성당도 떠올리게 한다. 어찌 되었든 아름답게 마무리되었으니 모두

다 잘한 일이다. 무얼 하든지 잘만 하면 칭찬받는다.

높이 156미터, 폭 66미터, 장랑 92미터, 넓이 11,706평방미터로 세계에서 3번째로 큰 성당이고, 실내 최대 수용인원은 약 4만 명이다. 건축물 외벽에는 3,159개의 성인 조각상이 들어찼고 이 중 2,245개는 외부에서만 볼 수 있다. 옥상 탑은 135개이고, 가장 높은 109미터의 탑에는 작은 성모 마리아 황금상 <마돈니나>가 서 있다. 옥상까지는 자본주의의 대가를 지불하고 엘리베이터를 타거나, 400여 개의 계단으로 올라갈 수 있다. 두오모 정면에서 왼쪽으로 돌아가서 탑 올라가는 계단 입구에서 표를 사고, 조금 더 돌아가면 엘리베이터가 나온다. 엘리베이터를 내려 옆으로 난 작은 계단을 다시 올라가면 예의 쿠폴라 꼭대기가 아니고 운동장처럼 넓은 옥상이 지붕처럼 경사져 있다. 계단 옆으로 대리석으로 조각해 놓은 작품들이 열을 지어 보무당당하게 서 있다. 첨탑 끝마다 성인 조각상들이 붙어 있는 것이 꼭 피겨 전시장 같다. 피렌체 두오모도 그렇고 밀라노 두오모도 그렇고 아마 힘들겠지만, 모든 조각과 장식을 빠짐없이 그대로 재현해서 축소 모형으로 만든다면 내 책상에 진열해 놓고 매일같이 감상하고 싶다.

레오나르도 다빈치의 <최후의 만찬(Cenacolo Vinciano)>를 관람하기 위하여 카도르나 역으로 이동했다. 여행자들의 경로가 어찌나 고만고만한지, 지하철 밀라노 첸트랄 역의 노선도에는 밀라노 첸트랄 역과 두오모 역이, 두오모 역 노선도에는 두오모 역과 카도르나 역 동그라미가 하얗게 바래졌고, 글씨는 거의 다 지워져 있다. 다들 똑같이 대성당에 들렀다가 <최후의 만찬>을 보러 간 것일게다. 사람들은 귀여운 구석이 있다. 나도 괜히 한 번 문질러 보고 갔다.

<최후의 만찬> 인터넷 예약은 한 달 전부터 시도했으나 되지 않았다. 하는 수 없이 긴장된 마음을 안고 전화 예약을 시도했다. 전화는 잘 걸려서 상담원께 영어로 말할 수 있느냐, 했더니, 상담원이 많이 겪어본 일인 듯 천천히 차분하고 친절하게 응답해 주셨다. 이름을 말할 때는 알파벳 구호를 붙여 말하는 것이 좋다. 에이 뽀 알파, 비 뽀 베타, 씨 포 찰리(A for Alpha, B for Beta, C for Charlie) 확실히 하는 것이 좋다. 관람료 6.5유로에 예약비 1.5유로로 8유로 날릴까 걱정되었지만, 예약 확인 메일이 잘 온 것을 보고 안도했다.

카도르나 역 밖으로 나오니 오거리와 광장이 보였다.

지하철 역을 등지고 2시 방향이 제수 카르두치(Giosue Carducci) 거리이다. 거리를 타고 200미터 정도 내려가면 사거리가 나오고 마젠타(Magenta) 소로에 이른다. 우회전해서 300미터 정도 가면 산타마리아 델라 그라치에 성당이 나온다. 마젠타 사거리에 성당 푯말이 있으니 길 잃어버릴 걱정은 없다. 카르도소(Cardosso) 거리를 면하고 있는 쪽이 산타마리아 델라 그라치에 성당이고, 성당 안으로 들어가 본당 정문으로 나오면 오른쪽에 성당에 부속되어 있는 수도원, 그리고 그 안에 <최후의 만찬>이 그려진 舊 식당, 現 전시관이 있다.

본당을 한 바퀴 둘러보고 나왔는데 예약시간 1시까지 약 1시간 남았다. 배도 출출하고 입도 궁금하여 주변을 둘러보는데, 성당 바로 건너편에 '오톨리나 그라찌에(Ottolina le Grazie)' 카페가 있다. 연식이 꽤 되어 보이는 것이 가격도 꽤 나갈 것 같다. 게다가 유명한 성당 바로 앞이니 바가지까지 씌울 수도 있겠다. 하지만 이곳 말고는 아무 데도 선택지가 없다. 울며 겨자 먹기로 들어갔다.

전형적인 이탈리아 식음료품 카페이다. 입구 쪽 계산대에는 사장님이 앉아 계시고, 주방 진열대에는 각양각색 탐스러운 빵들이 무심하게 겹쳐 쌓여 있고, 그 뒤로 커피머신과 주류도 있다. 손님들은 분주히 빵과 커피를 들고 안으로 들어가고, 그 와중에 사장님과 안면이 있는 듯 소소한 대화를 나눈다. 나는 쭈뼛쭈뼛 사장님께 주문을 했다. "크라상 2개 주세요!" "직접 꺼내오쇼." 사장님은 시크하고 무덤덤하다. 외양으로는 전형적인 이탈리아 마초인 줄 알았는데, 영어도 유창하고 수완이 좋아 보인다. 나 같은 무지렁이는 거꾸로 매달아 탈탈 털어먹을 수 있을 것 같은 장사꾼으로 보인다.

그래도 호랑이굴에서 정신 차린 놈이 살아난다. 나는 쭈뼛쭈뼛 진열대에서 버터크라상, 초코크라상을 하나씩 꺼내 들고 다시 사장님에게 주문했다. "카페라테 1잔 주세요!" "키친에 가서 시키쇼." 사장님은 또다시 심드렁한 표정으로 맞받아치신다. 키친에서 카페라테를 받아 쭈뼛거리며 다시 사장님에게 안에 들어가서 먹어도 되냐는 눈짓을 보냈다. 사장님은 역시나 별 볼 일 없다는 표정으로 그러라는 듯한 눈짓을 주셨다.

'일단 먹여놓고 20유로 부르면 어떻게 하지.' 두려움이 앞섰다. 베네치아 코레르 박물관 카페에서는 겨우 샌드위치 1개와 카페라테 1잔에 자릿세가 더해지니 10

유로라는 기적이 일어나지 않았는가. 여기는 더 유명한 성당 앞이니 20유로도 거뜬했다. 그래도 어쩌겠는가. 이미 엎질러진 물이다. '낼 때 내더라도 편하게 먹고 보자.'라는 심정으로 자리를 잡고, 화장실도 다녀오고, 빵도 맛있게, 커피도 맛있게 먹었다. 여기 빵과 커피는 다른 카페에 비해 뒤처지지 않았다. 물론 이탈리아 어느 카페나 커피와 빵은 당연히 맛있지만, 이곳 크라상은 정말 맛있다. 커피, 빵 같은 간단한 요깃거리부터, 피자, 파스타 같은 식사도 가능한 것 같다. 손님 대부분이 <최후의 만찬> 관람객들이라서 그런지 일본인들이 많은 것 같다.

맛있게 요기를 하고 마음의 준비를 끝낸 뒤, 계산대로 가서 고해성사하는 느낌으로 말했다. "저는 크라상 2개와 카페라테 1잔을 먹었습니다." "6.5유로 내쇼." 순간 내 귀를 의심했지만, 사장님이 잘못 계산하셨더라도 다시 계산할 틈을 주지 않기 위해 "그라찌에(Grazie)!"라고 외치면서 동전 6.5유로를 재빨리 얹어놓고 나왔다. 이게 그라찌에(감사)의 진실인가, 생각이 들었다. 성모마리아의 은혜가 몸과 마음을 충만하게 채워주는 느낌이었다. 진실로 감사의 마음이 들게 하는 카페였다.

전시관으로 돌아와 입구에서 출력한 예약 확인메일을 보여주니 티켓으로 교환해 주면서 안에서 기다리라고 한다. 들어가 보니 이미 사람들이 많이 기다리고 있다. 벤치에 한 자리 남아있길래 냉큼 가서 앉았다. 양옆으로는 일본인인 것 같았다. 일본어로 된 여행책자를 갖고 왔는데, <최후의 만찬>에 대한 설명만 서너 페이지 있는 것처럼 보였다. 심지어 그림에 나온 인물들까지 자세히 설명해 놓은 것처럼 보였다. 미술학도인가. 다빈치 덕후 책자 같았다. 우리나라 책도 저렇게 되어 있으려나.

1시 8분 전이 되었다. 표 검사를 했다. 그리고서는 1차 대기실로 들어갔다. 이곳은 유리로 된 밀폐실이다. 반도체공정 전 에어샤워로 오염물질을 제거하는 곳 같다. 조금 있다가 2차 대기실로 들어갔다. 2차 대기실에서는 전시실 안쪽이 보인다. 그림이 보이는 것은 아니고 이전 차수 관람객들이 보인다. 그들은 앞뒤로 왔다 갔다 하는 것 같았다. 전시실이 꽤 넓은 것 같았다. 그리고 1시가 되자, 전시실로 들어갔다.

처음엔 아무 말 없이 문이 열리길래 들어가라는 건가, 얼떨떨했는데 들어가서 오른쪽을 보니 '아!' 감탄이 터져 나왔다. <최후의 만찬>이었다. 짐작대로 전시실은 꽤 넓었다. 한 20, 30평은 되어 보였다. 벽화도 한 개가 아니었다. 입구에서 오른쪽은 <최후의 만찬>, 왼쪽은 <십자가에 못 박힌 예수>(조반니 도나토 다 몬토르파노)이다. 간접조명을 활용하기 때문에 전시실은 전체적으로 어두웠고 양쪽 벽화는 반대편에서는 희미하게 보였다. <최후의 만찬> 앞에는 차단선이 쳐져 있고, 그 앞에 벤치가 여섯 개 놓여 있었다.

입체감을 잘 느끼기 위해 그림에서 조금 떨어져서, 거의 전시실 한가운데에서 그림을 보았다. 전시실의 천장과 벽이 맞닿는 모서리가 그림 속으로 뚫고 들어가면서 식당이 확장되는 느낌이었다. 이 전시실이 처음 사용되었을 때, 그러니까 이곳이 식당이었을 당시에는 빛을 많이 받아서 실내가 환했을 것이다. 저쪽에는 그리스도와 제자들이 식사를 하고 있고, 그 뒤 쪽에는 창문이 있다. 내 앞에도 식탁이 있었다면 창문이 있는 식당에서 예수님과 열두 제자와 같이 밥을 먹는 느낌이었으리라. 그 창문에서 환한 빛이 들어오는 느낌이다. 그리스도께서 말씀하신다. "이 빵은 내 몸이다. 이 포도주는 내 피다. 너희를 위하여 내어 주는 내 몸이다. 너희는 나를 기억하여 이를 행하여라."

그림을 자세히 보기 위해서 조금 가까이 갔다. 벽에 문신을 하듯 그리는 프레스코와 달리 벽을 캔버스 삼아 유화를 그리는 템페라 기법의 태생적 한계가 느껴진다. 인물들의 얼굴과 옷의 주름은 시간의 풍화작용으로 곳곳에 흐릿해진 곳이 많았다. 어쩌면 그림은 애초에 다빈치가 그렸던 그 그림이 아닐지도 몰랐다. <최후의 만찬>은 다빈치가 그리자마자부터 침착이 시작되었다고 한다. 제롤라모 카르다노가 '어렸을 때 봤던 것보다 흐려졌고 색감도 잃은 상태'라고 했듯이 한 세대만에 희미해졌을 정도이고, 벽화가 완성된 지 60년도 안 되어 조르조 바사리는 벽화 상태가 '얼룩덩이'라고 비판했다. 이후에 그리스도의 발이 있어야 할 부분의 벽을 뚫어버려 아치형의 출입구를 낸 사태나, 1796년 이탈리아를 침공한 프랑스 혁명군이 벽화에 돌을 던졌던 사태, 그림 복원을 시도하다가 뭉개져 버린 색칠공부로만 남은 사태 등 직접적이고 물리적으로 그림을 훼손한 경우도 수 없이 많았다는 점을 고려할 때, 1900년이 되기 전에 그림은 말 그대로 이미 '얼룩덩이 뭉텅이'가 되어 버렸을 것이다. 사람들이 그림의 원형과 가치를 잊지 않고 1978년부터 본격적인 복원을 실시하여 현재의 모습으로 회복했다는 것이 그나마 다행스러운 점이다. 다빈치가 직접 그리지 않은 <최후의 만찬>도 다빈치의 작품으로 볼 수 있을지는 미지수이지만 말이다.

그림의 역사와 상태에도 불구하고 자세히 보면 다빈치가 표현하고자 했던 치밀함과 섬세함이 곳곳에 남아 있었다. 유대인을 상징하는 식탁보의 푸른 줄무늬도 선연하다. 멀리서 볼 때나 책에서 볼 때 흐릿해 보였던 인물들의 표정도 내밀한 감정이 드러날 정도로 눈에 들어왔다. 도마, 야고보, 필립보의 경악과 당황이, 베드로의 분노와 성화가 그대로 전해졌다. 사진촬영은 금지되어 있다. 15분은 꽤 긴 시간이었다. 멀리서도 가까이서도 충분히 감동을 느낄 만했다. 종료시간이 되자 아쉬움 없이 나왔다.

원래 내 유럽여행 1순위 국가가 이탈리아였다. 엄밀하게 말하면 생일이 있는 주에 바티칸에서 미사를 보고, 친퀘테레를 예쁘게 사진으로 남기고, 밀라노 두오모를 실컷 보는 것이었는데, 아쉽게도 3개 다 완벽하게 달성하지는 못했다. 생일 주간에 로마에 도착했으나 바티칸에서 미사는 못 봤고, 친퀘테레에 갔지만 사진은 다 발로 찍었고, 밀라노 두오모를 2시간 밖에 못 봤기 때문이다. 반쪽 아니 반의 반쪽짜리 여행이 되고 말았다. 그래도 이탈리아를 떠나는 마당에 남은 느낌은 후련하다는 것이다. 단번에 걸작 만들 생각을 하지 말고 습작을 많이 만들어야 한다는 어느 작가님의 말씀처럼 완벽하진 않았지만 좋은 시도였다는 생각이 들었다. 그리고 다음에 이탈리아에 또 한 번 올 기회가 있다면 정말 후회하지 않을 여행을 할 자신이 있다는 생각이 들었다.

다시 밀라노 중앙역으로 가서 벤티밀리아(Ventimiglia)행 기차를 탔다. 고속열차가 아닌지 베네치아보다 가까운 거리인데 4시간이나 걸린다. 이 기차는 제노바를 경유해서 벤티밀리아로 가는 해안철로를 탄다. 기차를 타고 놀라운 경험을 했다. 제노바까지 가는 평원이 아름다웠던 것은 셋째 치고, 제노바에서 기차가 방향을 바꾼 것은 둘째 치고(그래서 역방향으로 시작했던 나의 좌석은 어느새 순방향이 되어 있었다), 제노바에서 벤티밀리아 가는 길의 바다 풍경이 장관이었다. 지금까지 본 이탈리아 해안 중 아름답지 않은 곳이 없었지만, 제노바의 해안은 또 다른 느낌이었다. 붉게 물드는 하늘을 배경으로 아른아른 실루엣이 펼쳐진 제노바 해안은 형언할 수 없을 정도로 아름다웠다. 포지타노는 숨겨둔 휴양지, 친퀘테레는 때 묻지 않은 어촌, 베네치아는 산만하고 즐거운 놀이공원이었다면, 제노바는 세련되고 도도한 항구도시였다. 과거에 비해서 한참 쇠퇴했지만, 제노바는 원래 해양산업이 발달한 도시이다. 밀라노, 토리노와 더불어 공업 삼각지대를 형성하였던 도시이다. 거대한 선박과 작은 요트들과 산적한 컨테이너들, 항구와 해변과 해수욕장들. 우리나라로 치면 울산에다가 인천을 더한 느낌이랄까. 그런 풍경을 보고 있자니, 다음번 이탈리아 여행에 한 가지 일정이 더 추가되었다. 제노바.

그렇게 아쉽고 아련하게 이탈리아를 뒤로 하고 벤티밀리아에 도착했다. 이탈리아에서는 벤티밀리아로 부르고, 프랑스에서는 빈티밀레(Vintimille)로 부르는 것 같다. 빈티밀레 역에서 1시간여를 기다려서 니스행 열차를 탔다. 우리 칸에 승객은 나밖에 없었다. 이 구간도 제노바와 벤티밀리아를 잇는 구간 못지않은 아름다움을 자랑했다. 어둑어둑해져 가는 밤의 초입, 언덕마다 전등을 밝힌 마을이 나타나고 찰방이는 바다에 이따금씩 불빛이 반사되면 은하수가 흐르는 하늘 속을 달리는 듯한 느낌이 든다. <센과 치히로의 행방불명>의 배경이 되는 밤의 온천탕이 생각났다. 니스 가는 길에 멍통과 모나코 몬테카를로에 들렀다. 종종 사람들이 타고 내렸지만, 신년전야 야간열차라서 승객이 많지 않았다. 게 중에는 말일이라서 한탕 놀아보려고 니스에 가는 것처럼 보이는 사람들도 있었다. 니스에서 새해맞이 파티라도 하나보다.

니스 빌(Nice ville) 역은 공사 중이었다. 공사가림막 사이로 밖으로 나와서 맞은 니스의 첫인상은 우범지대 같았다. 낭만의 해안도시 니스라는 말이 무색하게 음산했다. 취한 사람들, 노숙자들, 부랑자들. 정상적인 사람들도 많았을 텐데 그런 사람들만 눈에 띄었다. 다행히 숙소 호스텔이 기차역에서 5분 정도 거리라서 금방 도착했다. 1박에 14유로 하는 4인 도미토리였는데 호스텔 자체는 깨끗했다. 2층 침대도 깨끗하고 수건도 새로 줬다. 화장실도 깨끗했고, 컴퓨터도 여러 대 있었다. 다만, 호스텔에서 묵는 숙박객들의 질을 가늠할 수 없었다. 우리 방에는 나 말고 한국인 여자애 1명과 프랑스인처럼 보이는 여자애 2명이 있었는데, 밤에 얼핏 보니 프랑스인 여자애들이 좀 심상치 않았다. 담뱃잎이었는지 무언가를 종이에 말아서 피우는 것 같았다. 어쨌든 짐을 풀고 해변을 찾기 위해 길을 나섰다.

30분 정도 걸어서 해변에 도착했다. 우리나라 12월 말일처럼 으레 해변에서 불꽃놀이도 하고 폭죽도 터뜨리고 다 같이 몰려나와서 한 해를 잘 보내는 파티를 할 것 같았다. '영국인의 거리(Promnade des'Anglais)'라고 엄청 유명한 명소라는데, 개미 새끼 한 마리 없다. 몇몇 산책하는 가족들만 간간이 빠른 걸음으로 지나갔다. 대신 인접한 호텔 방들에서 삼삼오오 파티를 즐기는 소리가 왁자지껄했다. 해변이 아니고 광장에서 파티를 하려나, 하며 마세나 광장 쪽으로 가다가 길을 잃었다. 길을 찾느라 헤매고 있는데, 어느새 자정이 되었다. 여기저기서 폭죽이 터지고 난리가 났다. 사람들은 집집에만 그득그득 차 있고 거리에는 나밖에 없었다. 폭죽 소리가 너무 여기저기서 나는 바람에 총소리 같아 공포심까지 들었다. 이렇게 새해를 맞이하라고? 타임스퀘어의 카운트다운이나 보신각 행사까지는 바라지도 않고 프랑스의 새해맞이 행사를 보고 싶었는데, 이렇게 아무것도 하지 않고 허무하게 지나간다고? 이렇게 철저히 나 혼자, 외롭고 쓸쓸함을 느낄 수도 없이 황당과 당황 속에서, 새해를 맞으라고? 내가 여기 왜 왔나 생각이 들었다. 왜 굳이 니스에 왔을까. 이탈리아였다면 더 훈훈한 새해맞이가 되었을까. 숙소에 남아있었더라면 그래도 같은 여행자들끼리는 인사했을 텐데. 석양의 황홀함에 빠져 열차를 타고 왔건만 프랑스의 첫인상은 황당하고 허무하다. 언젠가 이것도 추억이 될 수 있을까.

걷다 보니 가리발디 광장에 도착했다. 주세페 가리발디 장군은 이탈리아의 통일 영웅이다. 하지만 고향은 니스이다. 그래서 프랑스에서 이탈리아 통일 영웅을 기리면서 광장을 만들었다. 뭐든 잘 되고 볼 일이다.

DAY 12 니스

# 프린세스 그레이스

새해 첫날이 밝았다. 신년전야를 이상한 방식으로 신나고 화려하게 보내고, 새벽 1시쯤 되어서 들어와서 대충 씻고 잤다. 일출을 보려고 했는데, 기분도 아니고 체력도 아니어서 늦잠을 잤다. 새해 첫날부터 늦잠이라니, 일찍 자고 일찍 일어나기로 한 새해 계획이 작심 1/4일 만에 망했다. 방에서 미적거리다 10시가 다 되어서야 나왔다. 나왔다가 돈 안 가져온 것을 깨닫고 다시 들어가 돈도 가져왔다. 니스 전경 보러 가자.

갸흐 티에르(Gare Thier) 트램정류장에서 일일권을 끊었다. 5유로. 처음에 어떻게 조작하는지 몰라서 스크린도 눌러보고 동그란 버튼도 눌러봤는데, 아무리 해도 되지 않았다. 옆에 계시던 아저씨께 이거 어떻게 하냐고 물어보자, 아저씨가 동그란 버튼을 조그셔틀처럼 돌려서 1일권에 맞춰주셨다. 심리술사이신가. 5유로이다. 정류장 자판기는 동전밖에 먹지 않아서 10유로를 깨기 위해 호스텔 바로 앞에 있던 패스트푸드 중식당에서 6.5유로짜리 볶음밥 세트를 먹었다. 패스트푸드 치고 비싼 것 아닌가 했지만 쏠쏠히 맛있었다.

마세나 정류장에 하차한다. 트램 가는 방향을 기준으로 왼쪽 1블록을 돌아가면 버스정류장이 있고 거기서 14번 버스를 타면 종점이 몽보롱(Mont Boron) 산이다. 몽보롱 정류장이 14번 종점이고 버스는 정류장에 있는 시간표대로 거의 정시에 출발하는 것 같다. 버스 타고 가는 길에 마세나 광장, 항구 등 웬만한 볼거리는 다 볼 수 있어, 시내투어 버스가 따로 없다. 몽보롱 언덕길 올라가는 중에 보이는 니스 전경이 장관이다. 이탈리아 남부투어할 때랑 거의 비슷한 수준의 풍경이다. 옆에 앉으신 노년의 부부와 눈웃음을 주고받았다. '너도 보이지? 우리 수지 맞았다!' 하는 공감이랄까. 몽보롱 정류장에서 내리면 이제 진짜로 산행이다. 물론 산책로에서 상쾌하게 바다나 니스, 빌 드 프랑스(Ville de

France)까지 전경을 볼 수 있지만, 울창한 숲 때문에 시야가 가린다. 좋은 전망대는 굽이굽이 언덕길의 꺾어지는 곳이다. 꺾어지는 즈음에 내려서 보면 뻥 뚫린 니스의 전경이 나온다. 날이 좋아 기분이 좋다. 올라가는 중간에 딸과 조깅하고 있는 아버지도 보고, 올라가서는 어린 아기랑 같이 소풍 나온 부부도 보았다. 부러운 마음이 소복소복 쌓인다.

모나코를 가보련다. 몽보롱에서 다시 14번 버스를 타고 내려와서 항구를 지나고 가리발디 정류장에 내렸다. 정류장 100미터 정도 앞에서 좌회전하면 세구레인(Segurane) 정류장이 있다. 여기서 모나코행 100번 버스를 탔다. 100번 버스는 일일권이 적용되지 않고 1.5유로를 내야 한다. 100번 버스도 오른쪽을 선점한다. 모나코가 니스의 동쪽에 있으니까 오른편에 앉으면 해안도로에서 바다풍경을 실컷 구경할 수 있다. 이 경로도 이탈리아 남부투어 못지않다. 지중해의 해안도로들은 다들 이렇게 아름다운가. 해안에 바로 산지가 붙어 있어 이런 좋은 풍경이 나오는 것인가. 단돈 1.5유로로 이런 풍경을 즐긴다는 게 황송하다.

모나코 몬테카를로 정류장에서 내려주는 줄 알았는데,

그전 정류장에서 사람들이 다 내린다. 기사도 내리라는 눈치다. 내려서 아래쪽으로 좀 걸어가면 산으로 향하는 계단이 보인다. 왕궁으로 향하는 계단이다. 별로 힘들지 않다. 계단 오르면서 중간중간 경치 감상도 해준다.

모나코 왕궁은 크지도 예쁘지도 특별하지도 않고, 그냥 궁전이다. 부호의 대저택이라고 해야 할까. 아이보리 색깔만이 왕족의 궁인 것을 말하는 듯하다. 시간은 거의 1시를 가리키고 있었다. 근위병 교대식을 못 보겠네 하고 아쉬워하고 있었는데, 갑자기 궁전 문에서 근위병 2명이 척척 발을 맞춰 나온다. 문 밖을 나오더니 그중 1명이 궁 밖을 지키고 있는 근위병 앞에 가서 선다. 그리고 둘이 마주 보고 돌더니 교체를 해서 들어간다. 선임이 후임을 데리고 나와서 다른 후임과 교체해서 데리고 들어가는 모양이다. 두 명이서 마주 보고 도는 모습을 보자니 내가 다 민망하기도 하고 귀엽기도 하다.

왕궁 밑으로 골목길을 따라 내려오면 모나코 대성당이 있다. 13세기 건립된 성니콜라 교회가 있던 자리에 1975년 다시 로마네스크 양식으로 새로 성당을 지었다. 모나코 대공 레니에 3세와 '현대판 신데렐라' 그레이스 켈리가 세기의 결혼식을 올렸던 곳이다.

그레이스 켈리는 유복한 아일랜드계 미국인 가톨릭 집안에서 출생하여, 22세에 영화계에 데뷔했다. 연기력도 인정받아 알프레드 히치콕과도 함께 작업하는 등, 총 11편의 내로라하는 작품에 참여했다. 작품에 같이 출연했던 거의 모든 상대 남성배우들과 부적절한 관계를 맺었다고 하는 가십의 대명사였다. 그럼에도 불구하고 한국과 일본 등 동양에서 정숙하고 지고지순한 이미지로 확고하게 왜곡된 것이 신기하다. 그레이스 켈리가 "나는 기본적으로 페미니스트다. 여성은 자신이 결정한 것은 무엇이든 할 수 있다. 나는 끊임없이 사랑에 빠졌고 그것이 잘못되었다거나 나쁘다는 생각은 한 번도 하지 않았다."라고 말한 것을 보면 금사빠였던 것은 사실이고, 시대적 배경에도 불구하고 성별에 관해 굉장히 선구적인 생각을 가졌던 것 같다.

1955년 칸 영화제에 참석한 그레이스 켈리는 레니에 3세 대공을 처음 만나 모나코 궁을 산책하며 소개팅을 했다. 레니에 3세는 같은 해 12월 그에게 청혼한다. 그레이스 켈리의 약혼반지는 10캐럿이 넘는 다이아몬드 반지라니 가격은 둘째치고 손가락에 끼울 수 있을 만한 것인지 모르겠다. 둘은 이듬해 4월 결혼식을 올렸다. 그레이스 켈리는 1남 2녀를 출산하면서 모나코의 왕실도 지키고 행복한 가정생활을 영위할 줄 알았으나, 불편한 시집살이에 남편의 까탈스럽고 괴팍한 성격까지 더해져 부부생활 대부분이 불행하게 흘러갔으며, 52세에 별장에서 모나코로 복귀하던 중 교통사고로 사망하였다. 그가 찍은 영화 중 기다란 스카프를 휘날리며 드라이브를 하는 장면이 있는데, 마치 그 장면처럼 죽는 순간까지도 드라마틱한 삶이었다. 결혼 후에 배우로 다시 복귀하려고도 해 봤으나 무산되어 결국 1956년 결혼 직전에 찍었던 <상류사회>가 마지막 작품이 되었다. 그레이스 켈리가 낳은 딸 카롤린이 낳은 아들이 안드레아 카시라기 왕자인데, 외할머니의 미모를 쏙 빼닮아 1990년대에 절세미남이라고 인기가 대단했다. 잘생긴 진짜 왕자라니, 현대판 신데렐라가 결혼해서 21세기판 백마 탄 왕자님을 낳았다. 뭇 여성들의 마음을 뒤흔들었던 그도 나이가 드니 머리가 벗어지기 시작했다.

일설에 의하면 미국 여배우와 모나코 대공간 혼인의 배경에는 그리스 선박왕 아리스토틀 오나시스가 연관되어 있다고 한다. 실마리는 모나코가 왕국이 아니라 공국이라는 데서 출발한다. 모나코는 공국이므로 정식 군대가 없이, 국방과 외교를 프랑스에 의존한다. 영토는 작고, 인구 대부분은 프랑스계이고, 관광업이 주요 산업이라 했지만 1940년대에는 그마저도 시들시들해졌다. 유로화 이전 화폐는 프랑스와 같은 프랑화였다. 대공의 지위는 프랑스의 승인 하에 유지되고, 프랑스는 호시탐탐 모나코를 병합하고자 노리고 있었다. 모나코의 실권은 지역유지 오나시스가 장악하고 있었고, 1949년 레니에 3세 대공은 이곳 모나코, 공식 실권은 프랑스에 있고 비공식 실권은 오나시스에게 있는 휴양 명소의 바지사장으로 취임했다. 레니에 3세의 취임에 맞추어, 프랑스는 이후 후계가 없을 경우 바로 '병합 진행시켜!' 하고 기다리고 있었다.

오나시스는 자기 말이 곧 법이고 세금도 안 내도 되는 모나코를 호락호락하게 프랑스에 넘겨줄 생각이 없었다. 그는 위기 타계책으로서 레니에 3세의 후계를 만들면서 미국인 관광객을 끌어들인다는 계책을 세우고, 레니에 3세에게 할리우드 미녀 배우와 결혼할 것을 종용하였다. 메릴린 먼로, 오드리 헵번 등 역사적 배우들을 제치고 레니에 3세는 그레이스 켈리를 선택했고, 그레이스 켈리도 이에 응했다. "더 어렸을 때 남편을 만났다면 결혼하지 않았을지도 모른다. 하지만 우리는 적절한 시기에 만났다."라고 한 것으로 보아 그레이스 켈리도 결혼에 대해 전략적인 접근을 취한 것으로 보인다. 그리하여 그레이스 켈리는 공비라는 인생 최후이고 최대이자 최고의 영예를 얻었고, 레니에 3세와 오나시스는 모나코를 합병 위기에서 구해냈다. 위기였는지 기회였는지 모르겠지만 아니, 어쩌면 프랑스가 실제 합병할 생각이 있었는지도 미궁이지만 어쨌든 모나코는 그레이스 켈리를 기점으로 폭발적인 관심사와 인기의 대상이 되었고, 결혼 이벤트는 말 그대로 세기의 이벤트라고 할 만했다.

그레이스 켈리는 흠잡을 데 없는 외모로도 유명했고 아카데미 여우주연상도 받았을 정도로 연기력도 좋은 배우였지만, 짧은 배우 경력보다는 패션스타일로 더 유명하다. 1950년대는 물론 20세기의 패션 아이콘으로 꼽힐 정도로 현재까지도 사랑받고 있는 스타일의 대명사이다. 우아하게 휘감는 공단 드레스부터 고전적인 정장은 물론 좌르르 퍼지는 플레어 원피스까지, 다이애나비 이전 최고의 연예면 단골 주인공이었다. 우아한 미모에 잘 어울리는 상류층 여성스러운 패션감각이 결합했으니 당연한 귀결인 듯하다. 예술적 감각도 뛰어나서 당시 축구단 AS모나코의 유니폼인 흰색과 빨간색의 대각선 디자인을 직접 하기도 했고, 이 디자인 전통은 현재까지 내려오고 있다. 그레이스 켈리의 서명을 보면 실제로도 귀여운 글씨체인 것 같아 그림도 곧잘 그렸을 듯하다.

뭐니 뭐니 해도 그레이스 켈리의 대표작은 웨딩드레스와 켈리백일 것이다. 웨딩드레스의 전설이라 불리는 그레이스 켈리 웨딩드레스는 긴팔의 레이스 상의가 가슴부터 목까지 빠짐없이 단추를 채워 절제미를 강조하면서도 허리를 꽉 조여 여성성을 드러내어 미묘한 조화를 이루는 한편, 소녀 같은 느낌을 극대화하는 벨 모양의 단아한 공단 스커트가 결합한 형태이다. 청순과 우아, 관능과 고혹을 모두 아낌없이 드러냈다. 2011년 결혼한 영국 왕세자비까지 참고할 정도로 웨딩드레스의 고전, 웨딩드레스의 정석이 되었다.

지금은 '켈리백'이 된 에르메스의 여성용 가죽백은 1956년 그레이스 켈리가 임신했을 때 단순히 큰 배를 가리기 위한 큰 가방이었다. 그레이스 켈리가 이 토트백으로 배를 가린 사진이 <라이프>지에 게재되면서, 삽시간에 센세이션이 되었다. 한 순간만 화제가 된 것이 아니고, 그 이후로 거의 70년간 지속되는 유행이 되었다. 이제는 유행이 아니라 하나의 스타일, 하나의 양식이 되었다. 이제 이 가방은 차 한 대 값과 맞먹는 가격이 되었고, 그마저도 누구나 살 수 있는 제품이 아니다. 켈리백은 상품이 아니라, 소장품의 반열에 오르게 되었다. 인터넷을 검색해 보면 켈리백을 구매할 수 있는 자격요건, 백을 구매하기 위해 에르메스에 바쳐야 하는 충성료, 매장 매니저와 친분을 쌓는 방법, 켈리백이 많이 있는 매장, 켈리백 득템 후기와 실황 등 다양한 정보가 퍼져 있다. 인기와 희소성으로 따지면 롤스로이스, 벤틀리와 비교해도 될 정도이다.

모나코 성당 앞쪽에 아름다운 건물이 해양박물관이다. F1 관람석을 보려고 언덕 밑으로 내려왔는데, 관람석은 찾을 수 없고 항구에 크리스마스마켓이 보였다. 모나코 크리스마스마켓은 기괴한 동물, 상상의 생물 같은 인형을 많이 세워두었는데, 실제 움직일 수 있는 구동장치까지 있었다. 뭔가 기괴한 부잣집 냄새가 났다. 항구 쪽에서 밥을 먹으려고 했는데, 갑자기 한두 방울씩 비가 내리기 시작했다. 일단은 비를 피해 니스로 돌아왔다. 트립어드바이저에서는 모나코가 일 년 중 350

일 일광이 난다고 했는데, 나는 어쩌자고 비 오는 날 모나코를 갔을까. 반나절을 여행했음에도 쓸 이야기는 그레이스 켈리밖에 없는 곳, 이곳이 모나코이다.

니스로 돌아와 마세나 광장을 둘러보았다. 유럽 어느 나라나 광장은 온 동네 사람 모두 모이는 곳이기는 하지만 프랑스는 특히 광장이 말 그대로 동네회관의 역할을 하는 것 같다. 부활절이나 다른 행사 때는 모르겠지만 일단 크리스마스에 프랑스 광장들은 하나같이 돌려쓰는 듯한 기본 키트 아이템이 있다. 대관람차와 회전목마이다. 저 멀리 화려한 불빛과 아기자기한 음향으로 사람들을 끌어들이는 대관람차가 있어 호기심에 따라가 보면, 알전구를 달고 졸졸이 선 크리스마스마켓 상점들이 손님들을 '어서 옵쇼!' 하고 반긴다. 호객행위로써는 대단히 성공적이고 효율적이다. 대관람차와 크리스마스마켓이 선 광장이 없는 프랑스의 크리스마스는 상상하기 힘든 것 같다. 이곳 니스에는 광장에 추가로 아이스링크까지 설치해 놓았다. 광장 사방에서는 캐럴음악이 들려온다. 크리스마스에 별 감흥이 없는 사람도 강제주입식 감상에 빠져든다.

DAY 13 니스

# 비 오는 연못 위 샤갈의 별자리

이른 아침 다시 몽보롱에 올랐다. 일출을 볼 수 있을까 해서다. 7시 30분쯤 버스를 타고 산 중턱 고개에 내려 해가 뜨나 보는데 오늘도 비 때문에 영 가망이 없다. 날은 어두컴컴하고 비까지 온다. <고개의 피자가게(Pizzeria du col)>라는 직관적인 이름의 가게가 있어 들어갔다. 이름은 피자가게인데 실체는 카페이다. 1.8유로의 카페라테가 고소해서 맛있고 가성비가 좋다. 보슬비가 계속 와서 일출은커녕 해가 언제 떴는지도 모르고 8시 30분쯤 그냥 하산했다.

피렌체에서부터 계속 필요했던 손톱깎이를 샀다. 첫 여행이라 그런지 손톱깎이 챙기는 것도 몰랐다. 조금만 버티면 금방 집에 가는데, 어차피 사면 계속 쓸 수 있으니 그냥 샀다. <종(Bell)> 회사에서 나온 손톱깎이였는데, 한국산이었다. 프랑스에서 한국산을 만나니 반가운 마음이 들었다. 하지만 퀄리티는 <쓰리쎄븐(777)>이 좀 더 나은 듯했다. 손톱깎이도 퀄리티가 중요하다니, 뭘 하든 잘해야 칭찬받는다.

오늘 마르세유로 이동하려고 어제 숙박한 호스텔에서 체크아웃하고 짐을 맡기려는데, 카운터가 오늘 쉰다며 지하로 연결된 이웃 호텔에서 체크아웃하란다. 그 호텔과 이 호스텔이 자매인 듯하고, 지하통로로 연결되어 있다. 신기한 영업방식이지만 생각해 보면 당연한 것도 같다. 백화점과 대형마트를 같이 운영하고 있는 업체들이 많지 않은가. 입점하는 상품은 다르겠지만 물류 시스템과 컨베이어는 같이 사용할 수 있으니 효율적인 방식인 게 틀림없다.

9시 30분에 샤갈 미술관으로 향했다. 어제 산 대중교통 일일권은 오늘 10시 47분까지 사용할 수 있다. 거리를 보니 마티스 미술관까지 갔다 오기는 무리일 것 같고, 샤갈 미술관까지 편도만이라도 가려고 했다. 그런데 아무리 찾아도 샤갈 미술관 앞에 버스 정류장이 없다. 다시 지도를 더듬어 기차역 동쪽으로 걷다 보면 언덕 샛길이 보이는데, 쭉 따라 올라가니 샤갈 미술관이 있었다. 아직 9시 35분인데 10시 정각까지 문은 안 열어준단다. 비는 계속 주룩주룩 내렸다.

비를 맞고 있느니, 차라리 버스를 타고 마티스 미술관에 갔다. 이곳도 10시 정각 개관인데 9시 57분 딱 맞게 도착했다. 10시에 들어가서 잘만 하면 10시 40분쯤 나와서 다시 버스를 탈 수 있다. 입장료는 무료, 사진촬영은 금지이다. 3분 남기고 카운트다운을 세다가 오픈런했다. 우산을 맡기고 잠바를 보관함에 넣어야 하는데 앞에 있는 가족팀이 미적대면서 속을 태웠다. 한국인 성질 어디 안 간다. 드디어 내 차례가 되어 빛의 속도로 정리를 하고 전시관으로 들어가 휘적휘적 관람했다.

앙리 마티스의 화풍을 보면 자유가 넘치는 20세기 남프랑스 출신인 것 같은데, 사실 그는 1869년 프랑스 북부 시골마을에서 출생했다. 더구나 원래 딱딱한 법을 전공하고 변호사 서기로 일했다. 마티스 같은 대가도 처음에는 하고 싶은 일을 직업으로 삼기보다는 잘할 수 있는 일을 직업으로 삼았었네. 안정된 직장인이 여가생활을 하듯 마티스도 취미로 그림을 그리다가, 맹장

수술을 계기로 본격적으로 미술에 매진한다. 집안에서는 변호사가 되기를 바랐던 것 같은데, 미술에 대한 열정에 눈 뜬 후 23세에 파리로 미술 유학을 간다. 요즘 시대에도 23세에 진로를 바꿀까, 하면 주변의 걱정과 만류가 차고 넘치는데, 당시에는 어땠을까 싶다. 파리에서는 윌리엄 부그로와 귀스타브 모로 등 대가들에게서 배움을 계속해 나간다. 재능이 있어서 가능한 일이었겠지만, 시대의 대가들에게 직접 받는 가르침의 가치는 모로 따져도 모자랄 것이다.

처음에는 역시나 북부 프랑스 출신답게 어두컴컴한 색조의 정물화와 풍경화를 창작했지만, 브르타뉴에서 휴가를 보낸 이후 작품의 분위기가 판이하게 달라진다. 정물에서 인물로, 어두운 색조에서 밝은 색조로 변화하며, 자연광을 바탕으로 생기 넘치는 사람들이 뛰어노는 작품들이 시작되었다. 마네, 세잔, 쇠라와 시냐크 등 인상주의의 화풍을 눈여겨봤다가 자신의 그림에 적용하는 시도도 해 본다. 친구 앙드레 드랭과 함께 한 남프랑스 여행은 마티스의 감각을 최대치로 확장시켜 주었고, 여행은 그가 본격적으로 강렬한 원색 계열의 색채를 활용하게 된 계기가 되었다. 역시 사람에게는 깨우

침의 안식이 필요하다.

마티스와 드랭이 처음으로 전시회를 개최했을 때, 비평가들이 "야수들(레 포브, Les Fauves)"이라고 칭한 데서 야수주의의 시초가 되었다. 사실주의의 정교함과 인상주의의 뭉개진 희끄무레함에 익숙해져 있던 사람들이 파랗고 빨갛고 까만색으로 만화처럼 칠해놓은 캔버스를 보았다면 누구나 욕하는 것이 당연했을 것 같다. "나무야 미안해. 인간의 과욕으로 죄 없는 너를 낭비했구나."하고 한탄했겠지. 하지만 마티스는 좌절하지 않았다. 그는 자신의 감각이 유행을 선도할 수 있다고 믿었다. 그의 그림은 마니아층을 타고 인기가 올라갔다. '야수파'라는 것은 최첨단 미술의 유행을 선도하는 그룹이 되었고, 마티스는 어느새 '야수파'의 아버지가 되었다. 역시 장사는 10,000명보다는 100명부터 시작해야 한다.

남프랑스 여행 이후 마티스는 피카소와 안면을 트게 되었다. 어쩌면 색채의 폭발과 사물의 재구성은 어차피 한 번은 조우해야 하는 운명이었을지도 모른다. 마티스와 피카소는 21세기 초 미술사조에서 중요성이나 가치가 쌍벽을 이루는 두 인물인 만큼, 서로에게 큰 흥미를 느꼈고 선의의 경쟁상대이자 존경의 대상이 되었다. 미술계 측면에서는 긍정적인 효과였다. 야수파와 입체파가 서로의 양식을 빌려와 실험해 보고 새로운 방향으로 전환시키면서 작품의 창의성은 증대되었다.

1차 대전이 발발하자 마티스는 파리를 떠나 니스로 이주했다. 남국의 뜨겁게 작열하는 태양은 그의 작품에서 채도를 한껏 높여주었다. 색채는 더욱 분명하고 주장이 확실해졌다. 2차 대전 직전 1941년, 마티스는 십이지장암 수술을 받았다. 지독한 관절염은 붓을 잡도록 손가락 굽히는 것을 허락하지 않았다. 72세의 마티스는 너무 노쇠하고 쇠약해졌다. 그는 더 이상 이젤 앞에 서서 그리는 활동을 하지 못했다. 그는 와상에서 작업했다. 과슈가 칠해진 종이를 오려 캔버스에 배치하는 절지화로 작업방식을 바꾸었다. 그림은 더욱 단순화되었고 대상의 경계는 더욱 뚜렷해졌다. 작품의 성격은 한층 공고해졌다. 83세까지 매진한 샤펠 로자이르 드 뱅스 예배당 벽화와 스테인드글라스 작업이 그의 마지막 작품이었다.

마티스 작품은 동시대 회화로서보다는 후세대인 현재 일러스트로 더 큰 인기를 얻고 있는 것 같다. 그때와 지금을 직접 비교하지는 못하겠지만 장담할 수 있는 것은 현재의 인기가 가히 폭발적이라는 것이다. 그의 작품은 전시회보다 집을 장식하는 소품에서 더 많이 보인다. 온라인 집들이를 보면 블라인드에는 <춤>이 있고, 책상 테이블에 <이카루스>가, 와인병과 머그컵에는 <나디아> 등 오만군데에 그의 그림이 돌아다닌다. 아마 그래픽과 디지털이 발전하면서 경계선이 명확한 그림을 따오는 것이 더 수월하고, 보기에도 좋아 보이기 때문일 것이다. 경계가 희끄무레한 인상주의에 대비해서 마티스의 야수파 그림이나 종이오리기는 컴퓨터 그래픽에 최적화된 모양새다. 게다가 단순하지만 심오한 의미를 내포하고 있는 점도 사람들에게 큰 매력 포인트가 되는 것 같다. 마티스의 인물 드로잉은 심플하면서도 센스가 넘쳐 너무나 프랑스적이다. 사랑하지 않을 수 없다.

마티스 미술관에는 뱅스 예배당 장식을 위해 작업했던 그리스도의 고행을 그린 14계 그림 초안 5장이 있었다. 5번째 계를 어떻게 구상할까 고민이 많았나 보다. 연필로 썼다 지웠다 여러 번 반복한 흔적이 남아 있다. 이렇게 보면 대가의 창작도 나의 시험 답안 쓰기와 다를 바가 없다. 대가도 이렇게 고민하는데, 나는 더욱 성실해져야 한다. <푸른 누드>와 <댄스 연작>, <책 읽는 여자>와 성당을 위한 작품들도 빠르게 훑어

보았다. 마티스 생애에 있어서 신의 한 수는 역시 종이오리기인 것 같다. 그림으로 그린 작품들도 훌륭해 마지않지만 종이오리기의 직관적이고 강렬한 인상, 보고 또 봐도 볼 것이 또 있는 흥미진진함은 다른 어떤 위대한 명화보다도 화제성과 관람객에게 주는 영감 면에서 성공적이라고 본다. 마티스가 남긴 또 다른 유명한 작품, 리소그래피도 일부 볼 수 있어서 즐거웠다.

계획대로 10시 30분쯤 마티스 미술관을 나와 샤갈 미술관으로 향했다. 한국인의 계획적인 성향, 미쳐 돌아간다. 일일권도 맛있게 끝까지 탈탈 쓰고, 보고 싶던 작가들의 미술관도 모두 가볼 수 있어서 기분이 날아갈 듯 좋았다. 날씨가 좋았으면 더 좋았겠지만 이 정도로도 충분히 만족한다. 관람객이 한두 팀에 불과한 한적했던 마티스 미술관과 대조적으로 샤갈 미술관은 관람객들이 바글바글했다. 샤갈이 인기가 더 많아서 그럴까. 이 사람들이 좀 있다가 마티스 미술관도 갈까. 의문이 들었다. 특히 일본 여행객이 많았다. 내가 경험한 바로만 따지면 일본인들은 나 홀로 여행자는 거의 없고, 죄다 가족 또는 2인 여행자가 많다. 특히 동년배의 여성끼리 다니는 경우를 꽤 많이 봤는데, 본국에서부터 같이 온 친구인지 여행 와서 동행을 사귄 것인지는 모르겠다. 아무리 친한 친구라 하더라도 유럽여행을 오면 반드시 싸우기 마련인데, '와(和)'를 중요시하는 일본인인 만큼 어쩌면 표출된 갈등 없이 잘 지낼 수도 있겠다는 생각이 든다. 일본인 여행자들은 특히 꼭 두꺼운 여행책자를 들고 다니면서 주요 명소를 유심히 살펴본다. 얼핏 보기에 글씨는 몰라도 그림과 사진이 세부적으로 구석구석 자세하게 찍혀 있고 그 아래 깨알 같은 설명이 붙어 있는 것으로 보아 보통 일반인 수준보다는 전공학부생이나 오타쿠 수준의 호기심 해소를 위한 책자이다. 어떤 자세한 설명이 붙어 있는 것일까. 적어도 유럽에 오는 일본인 여행자는 탐구정신이 투철한 것이 분명하다.

마르크 샤갈은 1887년 현 벨라루스, 당시 러시아의 유대인 가정에서 출생하였다. 예술적 재능을 제외하면 그의 생애 초반은 유대인이 겪는 고통과 슬픔으로 점철되어 있고, 미술만이 가장 쉬웠던 것 같다. 유대인이라서 학교에 다닐 신분증을 빌려야 했다고 한다. 샤갈은 1차 대전 중에 러시아에서 결혼을 하고 첫 아이를 얻었으나, 10월 혁명을 피해 파리로 도피한다. 2차 대전이 발발하자, 그는 나치의 탄압을 피해 미국으로 망명한다. 전쟁 중 그와 30년을 함께 했던 첫사랑이자 아내가 사망하고 실의에 빠진 채 붓을 놓았던 적도 있지만, 결국 아내에 대한 애틋한 사랑 덕분에 다시 창작을 재개했다. 다행히 60세에 새로운 사랑을 만나 활력을 되찾고, 프랑스 외무장관 앙드레 말로의 요청에 따라 77세의 나이에 파리 오페라 가르니에에 천장화를 완성함으로써, 자타공인 프랑스 대표화가의 명성을 높였다. 샤갈은 98세까지 작품활동을 계속하면서 장수했다. 불행한 초년운을 극복하고 행복한 말년을 보낼 수 있었던 것 같아서 다행이다.

전쟁과 혁명 등 불운한 이유로 고향에 갈 수 없어서인지 그의 그림은 항상 향수에 시달린다. 자신이 고국에 갈 수 없음과 동시에 고국에서도 자기를 불편해했는지, 이를 수 없는 고향에 대한 절절하고 슬픈 그리움이 평생 부유했던 것 같다. 창작 초반에는 사실적인 풍경화나 초상화를 그리기 시작해서 점점 입체파와 야수파 등 다른 기법을 접목시켜 나갔다. 이후 그의 개성은 독자적으로 발전하여 그림 그 자체로 결론을 짓기보다는 시나 동화 같은 문학의 일부를 상기시키는 듯한 효과를 내게 되었다. <나와 마을>에서도 그렇고 한국에서는 '샤갈의 눈 내리는 마을'로 잘 알려진 <도시 위에서>도 그렇고 샤갈의 작품들은 '나의 살던 고향은 꽃피는 산골' 동요 가사와 아주 잘 어울린다. 원색의 채도를 다양하게 조절한 민속적인 색채나 닭, 소 등 즐겨 활용한 가축의 이미지는 누구나의 마음속에 있는 고향의 분위기를 상기시키면서 아련한 향수를 불러일으킨다.

샤갈 미술관 입장료는 9유로, 오디오 가이드도 제공된다. 샤갈이 86세가 되던 해 니스시에서 제공한 토지에 이 미술관을 설립했다. 1973년 미술관을 건립할 당시의 설계안부터 건물 모형까지 모든 기록이 다 남아 있다. 작지만 콘서트홀도 있고 서적류도 있고, 종합문화센터를 생각하고 지었나 보다. 미술관의 최초 재산은 샤갈 생전에 프랑스 정부에 기증한 작품들과 유족들이 나중에 기증한 작품들로서, 모두 모으면 450여 점이 넘는 작품들을 소장되어 있다고 한다. 다작을 해놓으면 나중에 쓸 데도 많은 것 같다. 미술관 중앙 부분에 창세기 등 성경을 소재로 17점의 연작 유화가 있는데, 이들이 정부에 최초 기증된 17점인 것 같다. 이 중에 유명한 <인간의 창조>, <이삭을 제물로 바치려는 아브

라함>, <모세와 불붙은 떨기나무>, <십계명을 받는 모세>, <노아의 방주> 등이 있다.

샤갈을 색채의 마술사라고 하는데, <성서화> 연작은 그가 푸른색으로 아낌없이 채색한 작품들이고 각 작품들마다 푸른색의 채도나 명도가 신기하리만큼 조화롭게 어우러진다. 반대로 샤갈이 사랑과 부인에 대한 그림을 그릴 때는 또 철저히 붉은색을 많이 쓴 것을 보면 푸른색은 업무용, 붉은색은 개인용으로 분류해 놓았었나 보다. <성서화> 연작도 좋고, 성당 장식을 위한 스테인드 글라스도 좋았는데, 비 내리는 창밖으로 보이는 <12궁도> 모자이크가 제일 좋았다. 타일로 된 커다란 모자이크 벽이다. 마차를 타고 승천하는 엘리야를 가운데 두고 궁수, 쌍둥이, 처녀, 물고기 등 열두 별자리가 원을 이루며 돌아가는 듯한 모습이 끊기지 않는 필름처럼 머릿속에 맴돌았다. 그 아래에는 연못이 있고 잉어가 뛰어놀았는데, 비가 와서 수면에 통통 튀기는 모습과 어우러지면서 비 오는 날에 누릴 수 있는 호사가 있다면 이 풍경이 1순위일 것 같다는 생각이 들었다. 샤갈, 마티스, 고흐, 피카소 등 프랑스 남부는 예술가들의 성지이다. 뜨거운 태양, 일렁이는 바다, 넓게 펼쳐진 평원은 예술적 감성을 자극하나 보다.

관람을 마치고 기차역으로 갔다. 마르세유로 가는 기차는 4시 55분 기차인데 아직 1시 30분밖에 안되어 요기를 하기로 했다. 불행히도 카페는 없고 테이크아웃 전문점, 슈퍼, 자판기와 대합실이 전부이다. 그래도 빵이 맛있는 '빵스'이기 때문에 테이크아웃 가게에서 브리오슈, 쇼송, 머핀과 카페라테(8.55유로)를 사 와 대합실에 앉아 먹는데, 이런 꿀맛이 없다. 역시 바게트국 명성 어디 안 간다. 아직도 1시 50분이라 혹시 더 이른 시간으로 표를 바꿀 수 있는지 물어보는데 가장 빠른 열차는 1시 55분이란다. 지금 뛰어가면 탈 수 있으려나. 포기하고 4시 55분까지 기다렸다. 너무 추웠다.

4시 55분 기차를 타고 7시경 마르세유 생샤를(Marseille St Charles) 역에 도착했다. 오는 길에 니스와 앙티브 사이에서 엄청 예쁜 호텔을 보았는데, 반달같이 생긴 호텔이었다. 나중에 한 번 다시 올 수 있으려나. 마르세유 역은 엄청 웅장했다. 기차역이 무슨 박물관 같았다. 테르미누스 호텔(Hotel Terminus)은 기차역 나와서 바로 왼쪽에 있는데, 계단만 내려오면 호텔 정문이다. 1박 58유로였는데, 가성비가 좋다. 예약

할 때 숙박비가 다 계산된 줄 알았는데, 알고 보니 예약금 58유로만 미리 지급됐고 총숙박비는 숙박할 때 지불해야 한다. 화장실 딸린 1인실이 무척 깨끗하고 시설이 좋다. 새로 리모델링했는지 바닥이 마루라서 좋다. 비즈니스 센터나 컴퓨터 공간은 없고, 같은 건물에 인터넷카페가 있다는데 가보지는 않았다. 인근에 빨래방이 있단다.

# 돌고 도는 마르세유턴

이른 아침, 기차역으로 갔다. 날이 흐리다. 마르세유에 온 김에 아를에 다녀오기로 했다. 아를행 편도 기차표에 15.3유로를 내고, 기차역 카페 '필레아스(Phileas)'에서 크라상, 쇼송과 물을 사고 5.35유로를 냈다. 쇼송 안에 사과잼이 들어있는데 한국이나 다른 곳에서 맛보지 못한 새로운 맛이다. 한국인이 김치를 잘 만들듯이 프랑스인들은 잼을 잘 만드나 보다. 복숭아잼 빵도 있었는데 못 먹은 게 아쉽다.

그런데, 필레아스라니. <80일간의 세계일주>의 주인공 필레아스 포그는 영국인이고 세계일주도 출발도 런던에서 한다. 그가 데리고 다니는 프랑스인 하인 이름이 장파스파르투인데, 이 '프랑스 기차역'은 '프랑스 작가'가 쓴 소설의 '프랑스인' 이름을 굳이 빼고, '영국 기차역'에서 출발하는 '영국인' 이름을 가져다 썼다. 호텔 이름은 또 어떤가. 옛날엔 모르겠지만 지금은 마르세유가 프랑스 열차의 종착역이 아닐 텐데 자랑스럽게 '종점(Terminus)'이라는 명패를 달고 있다. 프랑스인들의 창의력과 근거 없는 자부심은 모로 보나 존경스럽다.

9시 30분경 아를에 도착했는데, 갑자기 비가 내렸다. 동절기에 여행 왔으니 모두 내 탓이지만, 이번 여행은 날씨 운이 지지리도 없다. 간단하게 에스파스 반 고흐(Espace Van Gogh)와 반 고흐의 카페(Cafe Van Gogh)만 보려고 했는데, 길을 못 찾고 헤매다가 원형경기장과 반원극장을 발견했다. 아우구스투스 황제 시절 도시 성벽을 허물고 2만5천여 명을 수용할 수 있는 원형경기장을 지었다. 미니 콜로세움인 셈이다. 6세기 서고트족의 침입 전까지는 검투경기를 개최했으나, 야만족들이 휩쓸고 간 이후 민간인들이 여기서 거주를 하면서 많이 훼손되었다. 세월이 흘러 19세기가 되어서야 고대의 모습을 되찾는 복원을 하였고, 이후 연례행사로 4월, 7월, 9월에 투우경기를 개최한다. 마타도르와 소의 결투라서 소를 죽여야 끝나는 스페인 투우경기와 달리, 이곳 남프랑스의 투우는 소의 머리에 리본을 묶으면 된단다. 얼마나 귀엽고 아름다운 경기인가. 그래도 소를 귀찮게 하지 않는 게 최선이겠지만. 이 원형경기장은 고흐도 즐겨 찾았는지 그림으로 남겨놓았다. 경기장 자체는 구석에 조그맣게 그려놓고 대부분 경기를 관람하는 사람들로 채워 넣었는데, 오늘날 야구 경기를 보러 갔을 때의 장면과 비슷한 구도이다.

시청사와 성 트로핌(St Trophime) 성당이 있는 레푸블리크 광장을 지나 대로로 나오니 관광안내센터가 있어서 지도를 가져와서 다시 에스파스 반 고흐와 반 고흐 카페를 찾아갔다. 두 곳 다 그림으로 보는 것과 큰 차이가 있었다. 겨울인 데다가 비까지 와서 그랬겠지만, 높은 기대감을 안고 명화를 상상하면서 현장에 도착하면 실망하기 마련이다. 특히 고흐같이 화려하고 강렬한 색채를 사용하는 화가가 보는 세상과 나 같은 범인이 보는 세상은 완전히 다를 것이다. 에스파스 반 고흐의 경우 현재는 전시관과 도서관 등으로 활용되고 있지마는, 과거 병원의 이력 때문인지 스산한 느낌이 지배하고 있다. 4면이 건물로 둘러, 중정이라고 하기에는 어딘지 모르게 교도소 운동장을 연상시키는 정원. 잘 정돈되어있는 나무와 풀은 환자들의 마음을 안정시키기 위한 계산적인 모양인 듯 기이하다. 내력을 모르고 방문한다면 아담하고 쉬기 좋은 정원일 듯하지만, 나로서는 어쩐지 꺼림칙한 공간이다

에스파스 반 고흐에서 아무리 사진을 찍어도 고흐의 색감이 나오지 않자, '고흐가 진짜 미쳤었나, 어떻게 그런 색으로 세상을 보지?' 하는 생각을 하면서 되돌아 나오게 되었다. '카페 반 고흐'의 경우는 카페 자체도 사진에 잘 나오지 않을뿐더러, 색도 고흐의 그림과 확연히 달라서 방문한 보람이 없다. 고흐의 행적을 되짚어보는 데는 의의가 있었지만, 그가 보았던 풍경을 나도 보리라는 기대는 오만이었다. 겨울이 아니라 반드시 여름에 왔어야 했나. 차라리 방문하지 말고 상상으로만 남겨두었어야 했나.

다만, 레푸블리크 광장에서 대로로 나가는 골목에 있는 어느 슈퍼에서 산 라즈베리머핀(2유로)과 동네슈퍼에서 산 우유(0.83유로)는 인생머핀과 인생우유였다. 고소함 그 잡채인 우유는 불어는 모르지만 지방비율이 한 5퍼센트는 되는 것 같았다. 영국에서 그 라즈베리머

핀 생각에 사먹어 봤지만, 그 맛이 나지 않았다.

오후 1시 50분 다시 기차를 타고(17.5유로) 마르세유로 복귀했다. 날씨가 화창하다. 마치 아를과 마르세유 간 비행기를 타고 오간 것처럼 두 도시의 날씨가 판이하게 달랐다. 일일권(5유로)을 끊고 지하철을 탔다. 졸리에테(Joliette) 역에서 내려서 생 마리 마죄르(Sainte Marie Majeure) 성당을 보러 갔다. 피렌체 산 조반니 세례당과 비슷하게 외벽 전체에 녹색 가로 줄무늬가 들어간 로마네스크 성당이었다. 베네치아 산타 마리아 델라 살루테 성당 같은 하늘색 반구형 돔 모자를 쓴 줄무늬 성당이 푸르른 하늘을 배경으로 오뚝 선 것이 너무 귀여웠다. 내부는 로마네스크와 비잔틴 양식이 혼재된 인테리어였다. 외벽과 대조를 이루는 붉은색 줄무늬가 들어간 내벽에 반짝이는 금색 모자이크 벽화가 더해졌는데 여성스럽고 차분한 느낌을 주었다. 외벽은 초록 줄무늬, 내벽은 빨간 줄무늬가 색색깔 아기자기 예쁜 어린이 옷 같다.

구항구(Vieux Port)를 거쳐 노트르담 드 라 가르드(Notre Dame de la Garde) 성당으로 갔다. '보호인 성모마리아'라는 의미로, 항구도시인만큼 선원들을 수

호해 달라는 의미이다. 마르세유에서 가장 높은 곳에 해발 154미터 되는 몽떼 드 라 본느 메호(Mnt de la Bonne Mere) 언덕 꼭대기에 있다. 걸어가기에는 무리라서 60번 버스를 타고 갔다. 버스를 타고 가는 언덕길에서 마르세유 전경이 보인다. 니스도 그렇고 마르세유도 그렇고 프랑스는 대중교통 코스들이 천만금이 아깝지 않은 전망대이다. 날씨 때문에 대부분 실망인 프랑스 여행에서 얻은 유일한 보너스는 이것이다.

원래는 근처에 13세기에 지어진 예배당이 있었는데 순례자들이 늘어나기 시작하면서 19세기에 새로 대성당을 지었다고 한다. 1층의 성당 박물관과 매점부터, 7층 성당 본당까지 높이가 상당히 높다. 해발로 보면 거의 200미터 가까이 될 것 같다. 성당 맨 꼭대기의 황금모자상이 짙게 낀 구름에 대비되어 노랗게 빛난다. 5층 테라스는 마르세유 전경을 관람할 수 있는 360도 전망대다. 바다부터 내륙까지 시원하게 전경을 관람할 수 있다. 사람들이 바글바글하다. 발코니 난간에는 안치된 사망자들의 성함을 적은 명패들이 빼곡하게 붙어 있다. 아마 이 근방에서 제일 높은 공동묘지일 듯하다.

본당으로 들어가면 배 모형과 파도 그림 등 온통 바

다 내음이 나는 장식이다. 예로부터 어업이 발달한 도시인만큼 배를 타고 나간 선원들의 안전을 기원하기 위하여 천장에 배 모형을 매달아 놓고 기도를 한다. 궁륭은 황금색으로 된 돔들이 열을 지어 이어지고, 중간중간 아치는 흰 바탕에 붉은 줄무늬가 들어간 대리석이다. 아치 사이사이에는 바다를 상징하는 듯 파란 바탕에 금색 동그라미가 들어간 장식이 메꾸고 있다. 제단의 성모자상 위쪽 돔에는 바닷사람들의 성당임을 말하듯이 바다를 항해하는 배 그림이 문장처럼 그려져 있다. 천장 돔에는 4명의 천사들이 원반을 떠받들고 있는데, 원반 가운데 문양이 활 모양인 것 같기도 하고 돛 모양인 것 같기도 하다. 그림체가 알폰소 무하 같이 선남선녀들이다. 본당과 지하무덤에는 묘비석들이 빼곡히 들어차 있고, 명복을 비는 촛불컵들이 옹기종기 켜져 있다

노트르담 드 라 가르드 성당 앞에서 다시 60번 버스를 타고 구항구로 내려와 '오스카(Oscar)'라는 카페에서 햄치즈베이글과 카페라테(7.45유로)를 먹었다. 그냥 베이글에 햄, 치즈, 상추 넣고 크림치즈 바른 건데 아주 맛있다고 하지는 못할 것 같다. 베이글이랑 상추도 좀 작고 너무 밋밋했다.

항구에서 지하철을 타고 롱샹(Longchamp) 궁전으로 이동했다. 학익진 형태로 된 회랑형 궁전이 분수가 나오는 연못을 감싸고 있다. 5시가 막 넘어 도착했는데 5시 15분에 문을 닫는다고 하여 많이 못 보고 나왔다. 안에 들어가 보지 못하고 겉에서 회랑과 분수만 봤는데 화려하고 과장된 장식이 눈에 띄었다.

롱샹궁전의 건립은 19세기 항구도시로서 마르세유가 번성하면서였다. 인구가 증가하고 물이 부족하게 되었는데, 이에 대안으로 인근 엑상프로방스의 듀랑스 강물을 마르세유로 끌어오기 시작하였고, 그 일환으로 롱샹 궁전을 건립했다. 건립 이후 시립미술관과 자연사 박물관이 입주하였고, 현재는 없어졌지만 한 때는 동물원도 있었다. 마르세유가 한창 전성기를 구가할 때, 프랑스 제국의 세력 확장이 가속화될 때, 식민지에서 끌고 온 신기한 생물과 유물들이 도시로 밀물처럼 유입되면서 이들을 수용하기 위하여 건설한 일종의 과시형 전시물이었던 셈이다. 지금도 그렇지만 그때도 마르세유는 나라 최고의 이민자 비율을 구가하는 도시였을 테니, 원주민에게나 이민자에게나 위대한 프랑스의 본때를 보여주고 싶었을 것이다. 하지만 흥망성쇠는 인류사의 피할 수 없는 숙명이라, 그렇게 흥성하던 공원이 이제는 을씨년스러운 껍데기만 남았다. 화무십일홍이라 필 때는 아름답고 거창하지만 질 때는 누구나 다 소리 없고 쇠약하다. 구조적 아름다움은 여전하겠으나, 사람은 주관의 동물이라 이면의 이야기가 겹쳐지면 눈에 보이는 아름다움만이 전부는 아니다.

트램을 타고 구항구로 돌아와 82번 버스를 타고 생니콜라(St Nicolas) 요새에 먼저 갔다가, 생장(St Jean) 요새에 갔다. 도시 남쪽의 생니콜라 요새와 북쪽의 생장 요새는 최초 12세기 십자군 전쟁이 활발할 때, 십자군 출항을 위해 건립되었다. 그러나 이후 루이 14세는 바다로부터 도시를 방어하기 위한 것이 아니라 민중의 반란을 감시하기 위하여 재건축하였다. 어린 시절부터 환난을 몸으로 직접 겪었는지라 인간의 본성에 대해 회의감이 컸는지, 태양왕이 괜히 권력을 틀어쥔 것이 아니었다.

그러나 마르세유가 어떤 곳인가. 피비린내 나는 혁명가 '라 마르세예즈'의 고향 아닌가. 결국 1790년 혁명군들은 요새 사령관을 살해하고, 이후 혁명기간 동안 귀족과 정부관리를 수감하는 감옥으로 활용되었다.

1794년 로베스피에르가 축출된 이후에는 요새에 수감되었던 자코뱅 당원들이 학살당하기도 했다. 천명을 막으려고 해도 결국 일어날 역사는 일어나고야 만다. 격동의 18세기를 지나 제국주의 19세기부터 마르세유 요새는 아프리카 식민지 관리를 위한 전초기지로서의 역할을 했는데, 알제리에서 훈련받을 신병들이 이곳에서 출발했다. 2차 대전때는 프랑스의 가장 중요한 군항이었다가, 전쟁이 끝나고서는 아프리카 특히 알제리로부터 대규모 이민자가 들어오는 입구가 되었다. 명실상부 프랑스 제2의 도시, 가장 복잡한 인구 구성을 갖고 있는 도시이다.

생니콜라 요새는 언덕 벼랑 쪽에 있어서 상대적으로 음침하고 어두컴컴한 반면, 생장 요새는 해수면 가까이 있고 요새 옆 지중해 박물관 '뮤젬(MUCEM)'과 구름다리로 이어져 있다. 뮤젬은 직육면체 모양의 건물 3면을 그물 같은 콘크리트가 얼기설기 감싸고 있다. 밤이 되니 건물 전체에서 파란빛이 뿜어져 나오며 마치 거대한 사파이어가 놓여있는 듯하다. 마르세유의 도시재생사업 프로젝트 '유로메디테라네(Euromediterranee)'의 일환으로 루디 리치오티가 설계하였으며, 그물모양

외관은 지중해의 산호에서 영감을 받았다고 한다. 너무 춥지도 덥지도 않은 지중해 기후이지만 바람은 많이 부는 해안 항구도시의 특성을 반영하여 구멍 뚫린 콘크리트 건물을 구상한 것은 기능적으로도 좋은 아이디어였던 것 같다.

지중해를 주름잡던 무역항으로 번성하던 마르세유는 1970년대부터 쇠퇴 일로를 걷기 시작했고, 이에 대응하기 위해 1995년부터 자연환경과 문화유산을 연계하여 유기적으로 회복하도록 유로메디테라네를 실시하였고, 그 중 옛날 담배공장을 예술구역으로 변신시킨 '프리쉬 벨 드 메(Frische la Belle de Mai)' 프로젝트는 마르세유가 2013년 유럽문화수도로 선정되는 데 크게 기여하였다. 유로메디테라노 프로젝트 중 구항구 지구는 노만 포스터가 개조하였고, 그 밖에도 자하 하디드, 쿠마 켄고 등 유수의 건축가들이 참여했다고 한다. 건축학도들에게는 버킷리스트가 될 곳이다.

라데팡스라는 새로운 구역을 개발하는데 중점을 두었던 파리 도시재생과 달리 마르세유의 도시재생은 건물과 도로 등이 현재 있는 상태를 그대로 보존하면서 새로운 옷을 덧입히는 방식으로 진행되었고, 그 결과 구도시와 신 문물이 중첩되어 묘한 매력을 내는 효과를 보았다. 우리나라 모든 도시들에게 참고할 만한 사례가 되겠지만, 특히 서울이 꼭 한번 참고했으면 좋겠다. 이미 청계천 복원이나 경의선 숲길 조성 등 성공적인 사업들로부터 큰 혜택도 많이 보았지만, 용산과 종로 등 우리에게는 아직 더 발전시킬 소재가 많이 남아 있다.

다시 82번 버스를 타고 숙소로 복귀하려고 했는데, 버스가 아렝 르실로(Arenc le Silo) 정류장에 멈추어 서더니 엔진이 꺼졌다. 게다가 기사는 어디선가 올라탄 청년들과 수다를 떨기 시작했다. '이 차 막차였나? 아니었던 것 같은데? 여기가 종점은 아니겠지?' 나는 멀뚱멀뚱 눈치를 살폈다. 버스는 좀처럼 갈 기미가 안 보였다. 파장이다, 파장. 기사한테 쭈뼛쭈뼛 다가가 물었다. "이거 생샤를역 안 가나요?" "여기가 끝입니다. 저기 트램 타고 졸리에테(Joliette) 정류장 가서 지하철 갈아 타세요." 이렇게 캄캄한 바닷가 도로 한가운데서. 요 앞에는 공사장도 있는 것 같던데. 눈물이 났다. 엉엉. 그래도 나는 트램을 타고 졸리에테 정류장에 가서 지하철로 갈아타고 숙소로 왔다. 버스기사 말대로 하니 어려움은 없었다. 숙소로 오는 머나먼 여정이었다.

DAY 15 리옹

# 샐러드가 맛있는 리옹 부숑

유럽에 온 지 15일째만에 아침 일찍 일어나 봤자 갈 데가 없다는 것을 깨달았다. 오늘은 오전에 리옹으로 이동해야 하니 호텔에서 게으름 피우다가 나가면 된다. 10시 기차라 느긋하게 짐을 챙기고 샤워를 했더니 벌써 9시 20분이다. 잠깐 내가 정신을 잃었었나. 이렇게 시간이 빨리 흐르나. 후다닥 팁을 남겨놓고 숙소를 나섰다. 좋은 숙소를 떠나려니 아쉽다. 다음에라도 또 오면 또 여기 묵어야지.

기차역에서 생수 한 병 뽑으려고 2유로를 넣었는데 돈만 먹고 물은 안 준다. 한국이고 프랑스고 기차역 자판기는 합법적으로 돈을 갈취하기 위한 전통장비인 듯하다. 어쩌다 한 번씩 들르는 여행자들이니 돈을 떼여 먹혀도 사법적으로는 고사하고 행정적 조치를 취할 리도 만무하다. 전 세계 기차역 자판기 운영자 조합에서 혹시라도 정상적으로 작동하는 자판기를 설치할 경우 향후 100년간 그 인근에서 장사할 생각은 접으라는 공문이라도 내려보낸 것 아닐까. 어쩌면 자판기 안에 진짜 사람이 있어 돈 넣는 인간 면상을 보고 '겁도 없이 여행자 주제에 기차역 자판기를 누르다니. 혼쭐을 내주어야겠구먼.' 하고 묵묵부답 깔아뭉개는 것은 아닐까. 자판기 옆구리를 한 번 때려볼까 했는데, 여기는 자유시장경제의 선도국 프랑스이고 사유재산 파괴와 관련해 문제가 생기면 골치가 아파지니 그냥 오늘 하루 식량을 2유로어치 덜 먹기로 한다.

기차를 타고 리옹에서 내렸다. 숙소를 바로 기차역 앞에 잡았다고 생각했는데, 아무리 찾아도 숙소가 없다. 하는 수 없이 내 특기대로 또 다른 호텔에 들어가서 우리 숙소가 어디 있는지 물어봤다. 주소와 지도를 살펴본 직원 말로는 리옹에는 기차역에 여러 개가 있는데, 나는 우리 숙소가 있는 역보다 한 정류장 앞에서 내렸단다. 고로 기차역에 트램 정류장이 있으니 트램을 타고 빠흐 디유(Part Dieu) 정류장에서 내려서 찾아보란다. 민망과 감사와 내 무식에 대한 회한이 뒤범벅되어 눈물이 앞을 가렸다. 다시 기차역으로 돌아와 일일권(5.2유로)을 끊어 트램을 탔다. 리옹 일일권은 우리나라 옛날 종이 지하철표와 비슷해서 어린 시절을 회상하게 만든다. 잠실역에서 처음으로 엄마를 졸라 지하철표를 받고 돌아가는 개찰구를 멋지게 나오려고 했지만 바에 걸려 폴더처럼 허리가 꺾이고 만, 슬프지만 약간 웃기고 무척 어리숙한 어린이에 대한 추억이다.

트램을 타고 몇 정거장 이동하는 사이에 또 비가 내리기 시작했다. 다행히 아테나 호텔(Hotel Athena)이 트램정류장과 가까이 있어서 비를 별로 맞지 않고 도착은 했다. 그런데 내가 호텔에 들어오자마자 비가 수그러들기 시작하는 것이었다. 나는 날씨요정이나 호우주의보 따위의 별명이 없다. 나와 날씨란 물고기와 노트북처럼 상관관계가 0에 수렴하는, 각자 갈 길을 알아서 가는 요소들이다. 어언 서른 평생을 살면서 날씨가 좋아서 득을 보거나 날씨가 나빠서 해를 입은 적이 없을 정도로 날씨와 아무 관계를 맺지 않고 살아왔다. 좋은 날씨에 감사하거나 궂은 날씨를 탓하지도 않고 날씨란 것은 그저 지나가는 운명 같은 것이라 생각하며 살아왔다. 이곳 프랑스에 오기 전까지는 말이다. 그런데 이곳 프랑스에서 날씨는 나에게 대단한 똥을 주었다. 프랑스 남부 지역은 좋은 날씨가 가장 유명하여 전 세계인이 희망하는 최고의 휴양지라더니 나는 계속 비만 만났다. 프랑스의 비구름은 마르세유와 리옹까지도 나를 쫓아왔다. 단순히 비가 많이 오거나 날이 흐리거나 하는 것에서 그치지 않고 아주 적극적으로, 내가 교통수단을 탈 때는 자기도 관대한 것처럼 해가 나올락 말락 하더니 내가 교통수단을 내리면 돌변해서 비바람을 내리친다. 미리 날씨를 확인하고 움직였어야 하는 내가 대역죄인인가. 내가 어떤 괘씸죄를 지었는지 몰라도 이 정도면 가히 프랑스 날씨와 나는 전생의 원수였다고 봐도 무방할 듯하다. 전생 같은 건 필요 없고 현생에서 날씨가 나를 이렇게 괴롭히면 희열이라도 얻는 마조히스트인가 싶다. 날씨가 인격체가 있다면 나도 한 번 그렇게 고문해주고 싶다.

어쨌든 체크인을 하고 방에 들어와서 짐 정리를 했다. 아테나 호텔 싱글룸은 1박 65유로이고 마르세유 테르미누스 호텔보다 넓었지만 카펫 바닥인 데다가 가구 등은

연식이 높아 보였다. 그나마 아테나 호텔은 리셉션 옆에 데스크톱이 있다. 갸흐 빠흐 디유(Gare Part Dieu) 역에서 지하철 보라색선을 타고 기요티에(Guillotiere) 역에서 초록색선으로 갈아타고 구시가지(Vieux Lyon) 역에 있는 세례자 요한(Saint Jean Baptiste) 대성당으로 갔다. 12세기에 건립된 로마네스크 양식 성당이다. 정면 파사드는 14세기 말에 만들어지면서 고딕양식 특유의 장미창이 더해졌고, 아름다운 스테인드글라스와 리옹시의 천체시계도 위치하게 되었다. 리옹 대성당은 '프리미탈레(수석대주교, Primatiale)'라고도 하는데, 1079년 교황이 리옹 대교구장에게 프랑스 왕국 전체 대주교 중 최고인 '갈리아 전체의 수석대주교' 칭호를 하사했기 때문이다. 12월이 되면 이곳 리옹 대성당에서 빛의 축제가 열려 파사드를 배경으로 아름다운 레이저쇼가 펼쳐진다. 흑사병을 퇴치한 이후부터 매년 12월 8일 무염시태의 날 성모마리아께 사람들을 구원하고 도시를 회복시켜준 데 대해 감사의 의미로 촛불을 켜던 전통이 전해진 것이라 한다.

성당 옆 구시가지 거리 바로 옆에 고대 로마 유적지가 남아 있다. 특별한 철창도 없고 거창한 안내서도 없다. 작은 팻말이 하나 서 있다. 프랑스에 와서 니스, 마르세유, 리옹을 거쳤는데 우연히도 모두 로마의 손길이 거친 곳들이다. 유럽에 로마가 닿지 않은 곳이 있겠냐마는 로마가 기반을 닦았던 도시들을 따라 북진하니 내가 그 옛날 로마군이 된 느낌이다. 물론 확실히 백인 대장급은 아니다.

구시가지에서 푸르비에르 언덕 꼭대기로 푸니쿨라(Funicular)가 이어져 있고, 일일권으로 탈 수 있다. 푸니쿨라를 타고 노트르담 푸르비에르(Notre Dame Fourviere) 성당에 갔다. 푸르비에르 언덕이 리옹에서 가장 높은 곳이라 도시 전경을 보러 온 사람들도 많았다. 언덕은 원래 트라얀의 로마 광장이 있던 곳으로, 이름 푸르비에르도 라틴어 '구광장(forum vetus)'이 프랑스어 뷰포럼(Vieux-Forum)으로 바뀐 다음 유래한 것이다. 노트르담 푸르비에르 성당은 1896년 완공되어 성모마리아께 바친 성당이다. 리옹에서도 베네치아와 마찬가지로 17세기 흑사병이 퇴치되자 성모마리아께 감사를 드렸으며, 이후 1832년 콜레라, 1870년 프러시아의 침입으로부터 살아남은 것도 성모마리아의 은덕이라 여겼다. 이렇게 높은 언덕에, 이렇게 거대한 성당을 지을 수 있었던 원동력에 대해 베르트랑 타이트는 설명한다. “사람들은 공산주의에 승리한 것에 대하여 신께 감사하고, 근대 프랑스의 죄악에 대한 참회를 위하여 사립기금으로 거대한 봉납물을, 도시에서 가장 높은 위치에 건립했다. 그 사례가 파리 몽마르트르의 사크뢰쾨르 성당과 리옹의 노트르담 푸르비에르 성당이다.”

노트르담 푸르비에르 성당은 로마네스크와 비잔틴 양식을 혼합하여 건립했으며, 종탑에는 황금색 성모마리아상이 빛난다. 4개의 탑이 두꺼운 코끼리 다리 같아 사람들이 ‘물구나무 코끼리’라고 부른단다. 지하 묘실 위쪽 본당 내부는 입이 떡 벌어지는 모자이크 장식과 뛰어난 스테인드글라스가 혼재하고 있다. 로마네스크 양식인데도 제단 뒤쪽을 우아하고 화려한 스테인드글라스로 장식해서 공간을 환하게 밝히고 성스러움이 더해진다. 궁륭에는 성모마리아의 상징인 다양한 채도의 푸른 계열 색을 활용하여 모자이크를 새겨 넣었고, 아치마다 황금색 무늬 모자이크로 한껏 화려하게 치장했다. 긴 원통 모양에 얼기설기 구멍이 난 샹들리에가 거대한 촛불처럼 보이면서 성당의 경건함을 고조시킨다. 화려하면서 조화롭고, 둥글둥글하면서 거침없다.

성당을 나와 언덕에서 리옹 전경을 감상했다. 언덕 꼭대기에서 보는 리옹은 잘 정돈된 중소도시였다. 웅장하고 거친 론강과 아담하고 잔잔한 쏜강, 2개의 강이 도시를 관통해 흐르고 강변은 사람들이 교류하고 휴식하는 공간이 된다. 교통수단은 원활하고 편리하며, 공공 편의시설을 곳곳에 배치했다. 생활, 보건, 문화 모든 면에서 살기 좋은 환경이다. 내가 프랑스인이라면, 불어를 구사할 수 있다면 파리 같은 대도시에서 복작이며 사는 것보다 이곳 리옹 같은 중소도시에서 한적하게 사는 것도 나쁘지 않을 것 같다는 생각이 들었다.

푸르비에르 언덕 아래로 내려와서 구시가지를 걸었다. 오밀조밀한 구시가지는 언제 어느 곳을 봐도 마음을 들뜨게 한다. 구매할 돈은 없지만 구경은 공짜에 자유이니 이렇게 즐거운 여가활동이 또 없다. 아기자기한 장식품들을 보면 여행에 지친 발도 까맣게 잊어버린다. 미니어처 박물관도 보인다. 정식 박물관 입장은 비용이 따로 있지만, 입구 매점은 구경해도 된다. 실물을 눈으로 보면 그저 그런 것 같은데, 카메라로 찍고 사진을 보면 감쪽같다. 이렇게 영화를 찍나 보다. 리옹이 뤼미에르 형제의 활동무대라서 그런지 영화와 관련된 소규모 박물관이나 가게들이 많았다.

엄청난 개념이나 장치를 발명한 사람이 정작 그 발명을 널리 팔아먹지를 못해 성공의 결실을 보지 못하는 경우가 있는데, 뤼미에르 형제도 그중 하나이다. 형제는 '시네마토그라프'를 발명하고 <기차의 도착>이라는 최초의 대중영화를 상영하는 데 성공했다. 영화의 아버지라는 명성을 얻고 큰 성공을 거두었으나, 활동사진에 대한 열정은 산업으로서의 영화에까지 다다르지 못했다. 과학자와 기술자로서의 기발함, 성실성은 좋았으나, 스토리텔링 능력이나 장사꾼의 수완이 없었던지라 이후의 실사영화는 점점 인기가 부진하고 흥행에 실패했다. 말년에는 시네마토그라프의 특허권을 라이벌 찰스 파테(Charles Pathe)에게 넘기면서 '영화는 미래가 없는 발명'이라고 치부하기에 이른다. 이후 동생 루이는 다시 발명의 길을 걸어 '뤼미에르 오토크롬'으로 컬러사진의 효시를 창안하였고, 형 오귀스트는 의학으로 방향을 틀어 결핵과 암을 연구하는 데 매진하였다. 형제가 모두 기발한 머리로 발명과 공부에는 재능이 대단했다. 비록 경제적으로 엄청난 부를 거머쥐지는 못했을지 몰라도, 형제의 인생은 보람차고 재미있었을 것 같다.

한편 뤼미에르로부터 영화의 계보를 물려받은 파테의 영화사 '파테!(Pathe!)'는 세계에서 가장 오래된 영화사 중 하나이며, 현재도 프랑스에서 건재한 영화사이다. 사실 엄청 대단한 회사인 게, 90년대 웬만한 코미디 영화를 다 만들었다. <오스틴파워>, <컷스로트 아일랜드>, <덤 앤 더머>, <제5원소>, <롤리타>, <마스크>, <토털리콜>, <레지던트 이블>. 이루 다 말하기도 힘들다.

프랑스에서도 유명하다는 리옹 부숑(Buchon Lyonnaise)을 먹기로 했다. 적당한 가격대로 보이는 가게에 들어갔는데, 오래된 식당 냄새가 났다. 저녁을 먹기에는 약간 이른 시각이어서 그런지 손님이 하나도 없었다. 다른 가게들도 거의 다 마찬가지였으니 손님 상태를 보아 어느 가게가 맛집이고 아닌지는 판단하기 어려웠다. 연어요리 정식(20유로) 등이 있었는데, 이왕 시도하는 김에 리옹 전통식을 해봐야지, 하고 곱창(tripe) 요리 정식(15유로)과 자두주스를 시켰다. 리옹 샐러드와 디저트가 따라 나오는 코스였다. 리옹 샐러드는 무척 맛있었다. 리옹 샐러드라기엔 아주 보편적으로 베이컨이 들어간 시저샐러드 비슷했는데 짭조름해서 좋았다.

그런데 곱창 요리에서는 똥냄새가 났다. 곱창과 토마

토, 여러 채소를 같이 끓이고 졸인 것 같았는데, 곱창은 하도 끓여 물컹물컹 물러졌고, 토마토의 시큼한 냄새에 누린내가 섞인 듯한 독특한 냄새가 났다. 내장탕과 곱창을 즐겨 먹는 한국 아저씨들에게도 식감은 별개의 문제고 향내가 역해서 쉽지 않을 것이라 확신한다. 이탈리아에서도 경험했다시피 유럽식 음식에 비위가 좋지 않은 내가 또다시 누린내 나는 음식을 한 접시 가득 먹으려니 고역이었다. 다만 나를 보며 맛있지 않냐는 표정으로 들썩이는 종업원의 눈썹을 보아서라도 최대한 코로 숨 쉬지 않고 열심히 씹어서 다 먹었다. 리옹 부숑이 질적인 측면에서는 어떨지 몰라도 양적인 측면에서는 아주 훌륭했다. 포만감이 압도했다.

종업원이 카시스에 바닐라를 합친 아이스크림 디저트를 가져다주면서 "카페라테 한 잔 드실래요?" 하고 물었다. 엉겁결에 또 "오, 좋아요." 하고 말하고 나니, 퍼뜩 무언가가 뇌리를 스쳤다. 공짜가 아니다! 하지만 종업원은 이미 신이 나서 커피를 내리고 있었고, 나는 눈물 콧물을 훔치며 카페라테를 사약처럼 들이켜야 했다. 이제 정말 말 그대로 배가 터질 것 같았다. 엉금엉금 일어나서 계산을 했는데, 21.2유로란다. 그나마 팁이 없으니 망정이지, 팁까지 내야 했으면 억울해서 뒤집어 엎으려 그랬다. 이럴 줄 알았으면 그냥 연어 단품 시킬 걸. 그래도 샐러드가 맛있었으니 만족해야 하나. 엉엉.

쏜강 천변을 걷다가 떼호 광장(Place de Terreaux)으로 이동해서 시청사(Hotel de Ville)를 발견했다. 1645년부터 1651년까지 시몽 모팽에 의해 건립되었고, 1886년 7월 12일 역사유적으로 지정되었단다. 시청 광장에 바톨디 분수가 있는데, 뛰어나가려는 말을 모는 사람의 역동적인 장면을 포착한 동상이 있었다. 말의 콧구멍에서 금방이라도 푹푹 콧김이 나올 것 같았다.

시청 뒤편은 리옹 국립오페라극장(Opera National de Lyon)이다. 1800년대에 건립된 이후, 1993년 빛과 그림자의 건축가 장 누벨 지휘 하에 리모델링되면서 바로크와 현대건축이 미묘하게 합쳐졌다. 면적이 무려 4천5백여 평에 18층인데, 리모델링시 꼭대기 다섯 층을 캐노피 유리로 덮었다고 한다. 정면 입구 위쪽에 늘어선 음악과 예술의 뮤즈 조각상들이 붉은 조명을 받아 클럽처럼 신나 보였다. 오페라극장 앞에서 몇몇 청소년들이 비보잉을 연습하고 있었다.

생니지에르(St Nizier) 성당을 지나쳐, 상업산업회의

소(Chambre de commerce et d'industrie de Lyon)에 다다랐다. 리옹의 무역, 산업, 서비스업의 이익을 담당하는 기관으로, 경제정책, 인프라 등에 대한 정책을 수립하고, 관광업에 대한 주요 이슈를 담당한다. 현재 6만 2천여 명의 지역산업으로부터 선출된 65명의 대표들로 구성되어 있다. 우리 상공회의소와 같은 역할인 듯하다. 리옹이 작은 도시 같아 보였는데, 근로자가 6만 2천여 명이나 되는 것을 보면 어마어마하게 크나 보다.

계속 걸어 벨꾸르(Bellcour) 광장으로 나왔다. 광장 중앙의 루이 14세 기마동상은 신고전주의 조각가 프랑수아 레모가 만든 것이다. 역시나 광장 한편에 자리한 대관람차와 루이 14세 기마상과 저 멀리 노트르담 푸르비에르 성당이 어우러지는 풍경이 누가 보아도 프랑스요, 하고 말하는 듯했다.

DAY 16 리옹

# 굿바이, 헬로 어게인

오늘 저녁 코벤트리로 복귀한다. 숙소를 체크아웃하고 짐을 맡겼다.

리옹 북쪽에 있는 떼뜨도흐 공원(Parc de la Tete d'Or)에 가기 위해 C1 전차를 탔다. 어제 산 일일권이 아직 24시간을 다 채우지 않았는데, 날짜가 지나서 그런지 이제 무효한 것 같다. 국제구역(Site Internernazionale) 정류장에서 내렸더니, 건너편에 현대미술관이 보인다. 또 비가 왔지만, 꿋꿋이 우산을 쓰고 공원을 한 바퀴 둘러보았다. 공원 한쪽에 거위들이 몰려있었는데, 다들 한쪽 발로 서서 자고 있었다. 왠지 거위들이 깨면 떼를 지어 달려들 것 같았다. 깨우지 않게 살금살금 걸어갔다. 그런데 멀리서 밥 주는 사람이 다가오자, 거위들이 일제히 소리치면서 달려가기 시작했다. 어떤 거위는 조깅하던 사람과 부딪힐 뻔했는데, 둘이 서로 흠칫하다가 인사하고 엇갈려 갔다. 감히 밥상으로 달려가는 오리를 방해하다니.

공원 한편에 새빨간 '온리 리옹(ONLY LYON)' 글자 조형물이 초록 잔디와 선명한 대조를 이루어 강렬하게 다가왔다. 아름다운 슬로건이다. 언어적으로나 수학적으로나 균형과 비례가 잘 맞고 메시지가 분명하다. 비가 내려서 그런지 풀냄새, 흙냄새가 향긋했다.

1996년 7월 26일 자 한겨레 신문에 여기 떼뜨도흐 공원에서 사람을 전시한다고 해서 벨기에 레오폴드 2세의 사람동물원인 줄 알고 깜짝 놀라 봤더니 연극배우들이 전위예술하는 것이었다. '동물원의 곰 우리를 치우고 사람을 전시했다. 연극배우 니콜라 라몽이 동료배우와 함께 하루 2시간씩 사람의 일상사를 다룬 무언극을 실연하고 우리 밖에는 '진기한 종 - 이성을 가진 두 발 짐승 호모사피엔스'라는 표지판이 붙어있다.' 인종차별인 줄 알았더니 인류희롱이었네. 좋은 의미로 말이다. 이런 전시를 승인해 준 동물원 관계자들이 신기하다.

우리나라에서도 2000년대에 어느 방송국 앞에 투명한 박스로 '유리의 성'을 만들어놓고 방송인이 들어가 생활하면서 지나다니는 행인들에게 100일간 있는 그대로 노출 시킨 적이 있다. 그때는 전 세계 거의 모든 방송이 그런 관음증류의 프로그램, 각본 없는 리얼리티쇼를 만들었던 것 같다. 대중은 처음에 그 엽기적인 실험에 호기심을 보이고 신기해하며 환호했지만, 보름도 채 지나지 않아 인기는 식었고 오히려 보험판매원이나 술 취한 사람 같은 '진상'들에게 받는 피해만 늘어갔으며, 실험에 자원했던 방송인은 극심한 정신적 불안을 겪고 피폐해진 채로 실험을 마쳤다.

'네가 오랫동안 심연을 들여다보면 심연도 너를 들여다본다.' 니체는 인생의 근본적 공허함을 경고하려는 의미였겠지만, 인간 정신의 나약함을 설명하는 문장이 아닐까 싶다. 어떤 것에 깊은 관심을 갖다 보면, 오히려 그 대상에 매몰되고 잡아먹혀 버린다. 위험한 호기심, 인간의 잔인한 본성에 대한 실험은 오히려 자기 자신을 좀 먹고 파괴할 수도 있다. 불이 뜨겁고, 똥이 더럽다는 것을 굳이 실험할 필요는 없는 것이다. 지켜야 할 것은 조용히 지키는 것이 너와 나, 우리 모두를 위

해 괜찮은 결정일 수도 있다. '네가 호기심에 악을 시험한다면 악도 너를 시험할 것이다.'

공원을 나와서 다시 C1 전차를 타기 위해 정류장에 기다렸다. 어떤 할아버지께서 일본인이냐고 물었다. 한국인이라고 말씀드렸더니 반가워하시면서 자꾸 '문'이라고 하셨다. 달을 말씀하시는 건지, 문을 말씀하시는 건지 모르겠다. 문선명이나 문재인을 말하는 건지도 모르겠다. 대화가 잘 통하지 않자 할아버지께서 당신은 영어를 '쪼끔' 한다고 하시면서 기분 나빠하지 말라셨다. 오히려 제가 이해 못 해서 죄송하다고 했다.

시내로 나와서 거리를 돌아다녔다. 지하철, 전차, 버스로 이어지는 3단 콤보 대중교통이 너무 편리했다. 인테리어 소품과 액세서리들이 너무 귀여웠다. 리옹은 진리다. 중고책 시장이 섰다. 보던 책인지 오랫동안 묵혀 둔 책인지 모르겠지만 상인도 많은데 각자 저마다 많이도 가지고 나왔다. 다들 어디서 저런 책이 나오지? 외할머니댁 창고라도 뒤졌나? 중간중간에 요리책, 여행서 같은 실용서적도 있고, 심지어 1950년대 즈음으로 추정되는 시기의 신문도 있었다. 저런 걸 사는 사람도 있나? 어디에 쓰려고 그러는지. 진품명품에 나가야되는 거 아닌가. 혹시 정말 진귀한 고서적이라도 있는 걸까? 불어를 읽을 수 없어 쓸데없는 생각들만 하며 지나갔다. 중고책 시장을 보니 청계천이 생각났다.

옛날에는 경제적 여건이 안 되어서도 그렇고, 찾아야 할 정보가 있어서도 그렇고, 헌책들이 꽤 많이 거래되었던 것 같은데 요새는 헌책 사는 사람을 잘 못 본 것 같다. 알라딘과 예스24에서 중고서점을 개설했는데, 파는 사람은 많은 것 같은데 사는 사람도 많은지 모르겠다. 각종 고시 수험교재는 그렇다 쳐도 자격증 시험은 법조문 등 해마다 새롭게 바뀌는 내용을 잘 반영해야 하므로 옛날 책으로는 공부할 수 없다는 것 같다. 단행본 같은 경우는 독자들 사이에 이북리더기가 정착되어서, 이제는 마을마다 크든 작든 도서관이 많이 생겨서, 혹은 단순히 독서가 취미로는 매력을 잃어가서 안 팔리는 것일 수도 있다. 하긴 한 달에 한 권 읽는 한국인이 별로 없다고 하니, 책보다는 다른 재미있는 것들이 많은 세상이다. 그런데 또 반대로 옛날보다 책 쓰는 사람, 특히 일반인 작가가 늘어나는 것을 보면 사람들이 읽지는 않아도 경험하고 생각하는 것은 풍부한 것도 같다. 신분을 밝히지 않는 비밀작가가 쓴 소설이 드라마화되어 천문학적인 수입을 벌어들이고, 평범한 직장인이 자기계발서나 에세이를 써서 히트 치는 것을 보면, 지류도서 외에 사람들이 접할 수 있는 소재의 출처가 많아졌나 보다.

크후와후쓰(Croix Rousse) 지역 건물 외벽들에는 착시 속임 그림인 '트롱프뢰유(trompe-l'oeil)' 벽화가 많다. 사실적으로 잘도 그려서 길 건너 멀리서 보면 정말 분간하기 힘들다. 벽에 페인트칠을 하고 있는 페인트공, 문을 열고 나온 사자, 모든 것이 그럴듯하다. '카뉘의 벽'을 가득 채우고 있는 풍경은 실제 리옹의 어느 골목을 그린 것인지 모르겠지만, 금방이라도 내가 계단을 올라갈 수 있을 것만 같이 사실적이다. 계단을 오르내리는 사람들은 누가 진짜인지 모를 정도로 자연스럽고, 1층 위를 날아오르는 비둘기는 역동적이다. '리옹의 명사들'을 그린 벽화에서 알아볼 것 같은 사람은 뤼미에르 형제와 생텍쥐베리 등이 있다. 건물들이 오래되어 낡았기 때문에 벽화를 그려서 분위기를 바꾼 것일 텐데 참신했다. 경제나 정책적으로 부수고 다시 짓기가 힘들어서 그럴 수도 있지만, 재미있게 도색하니 관광객은 더 많이 올 수도 있겠다. 그래도 여기서 살래? 하면 나는, 깨끗하게 리모델링한 집이 좋다.

숙소에 들러 짐을 챙기고 빠흐 디유 역에서 출발하는 론익스프레스(Rhone Express)를 탔다. 인터넷 예약을 하면 14.5유로이고, 현장 자판기에서는 15.7유로이다. 공항 가는 중간에 2번 정차하는데 잘못 하차하지 말라고 안내방송이 나온다. 공항까지 약 30분 정도 걸린다.

리옹 생텍쥐베리(Lyon St Exupery) 공항의 세금환급 스탬프 받는 곳은 G층 27 게이트 옆이다. 세관직원이 물건을 보여달라고 해서 더스트백을 열려고 꺼냈더니 그만 됐다고 하신다. 스탬프를 받고 1층 트래블렉스(Travelex)에 주면서 신용카드로 환급해 달라고 했더니, 카드정보 적어서 옆쪽 노란 우체통에 넣으란다. '그냥 우체통에?' 조금 불안했지만 일단 넣고 떠났다.

공항 이름으로 생텍쥐베리만큼 낭만적인 이름이 또 있을까 싶다. 라이트 형제 공항이 없는 현실에서 레오나르도 다빈치 공항이 그나마 가장 비등한 경쟁작일 것 같지만 불의의 낭만성 면에서 생텍쥐베리를 따를 이름은 없는 것 같다. 비행에 대한 광적인 집착증, 비행에 대한 업적과 민폐, 역사상 가장 완벽한 비행소설의 창작자. 비행과 관련해서 생텍쥐베리만큼 미친 사람이 있을까 싶다.

앙투안 드 생텍쥐베리는 1900년 리옹에서 태어났다. 독서와 문예에는 관심을 보였으나, 학업에서는 별 소득이 없었고 파리에서 건축학과에 청강생으로 다녔으나 대학생보다는 룸펜에 가까웠다. 21세에 비행 조종 훈련을 받아 조종사 자격증을 취득하고, 육군 항공연대에서 근무하였으나 항공기 추락사고로 부상을 입고 전역했다. 이후 타일 제조회사, 자동차 판매 대리점 등에서 근무했으나 실무영업은 성격에 맞지 않았는지, 금방 사직하고 저술을 시작하여 26세에 최초로 출간하였다. 그리고는 비행경력을 살려 물류회사에 취직, 세네갈 다카르와 모로코 카사블랑카 간 항공우편을 수송하는 비행업무를 담당했다. 2차 대전 초기에 프랑스 공군에서 복무하다가 미국으로 망명하였으나, 나치 독일과 연계되었다는 루머의 오명을 벗기 위해 1943년 다시 공군에 재입대하였다. 43세란 나이는 비행사에게 적기가 아니었고 지휘관은 그의 불성실함을 이유로 조종업무에서 배제하였으나, 그는 비행을 너무 사랑해서였는지 혹은 취미 삼았던 비행 중 독서와 집필을 하기 위해서였는지 고위급 청탁을 통해서 조종을 고집하여 다시 조종간을 잡았다. 이쯤 되면 예술만 잘했지 가히 정신병자라고 할 만도 하다. 계속된 친나치 논란과 아슬아슬한 비행으로 우울증과 폭음이 계속되었고 이로 인해 신체와 정신 모두가 피폐해지는 악순환에 빠졌고, 흐려진 판단력으로 비행을 계속하다 결국 1944년 비행 중 실종하여 사망한 것으로 처리되었다.

<어린 왕자>에서도 보이듯이 그에게 있어 추락이나 여타 항공 사고는 그다지 위험하거나 희귀하게 느껴지지 않나 보다. 20대 항공연대 근무 당시 추락사고로 의병 전역한 데 이어, 35세에는 개인 전용기를 몰다가 사막에 불시착하여 구조되었고, 38세에는 항공기 엔진 폭발로 불시착하여 또다시 두개골이 파열된다. 43세에 다시 공군에서 비행할 때는 착륙 시 조종 미숙으로 항공기를 고장 낸 적도 있고, 사고는 아니지만, 조종 중 책을 읽기 위해 착륙하지 않고 계획보다 1시간이나 더 선회하기도 했다. 그 자신뿐만 아니라 절친이던 앙리 기요메도 남미까지 횡단하다 추락했으나 기적적으로 엿새 밤낮을 안데스산맥을 걸어 나와 구조되었고, 계속 또 비행을 하다 결국 2차 대전시 이탈리아군에게 격추당해 사망하였다. 생텍쥐베리 자신은 실종이라고는 하

지만, 결국 생텍쥐베리는 칵핏에서 사망할 수밖에 없는, 불굴의 조종사가 될 운명이었나 보다. 생텍쥐베리의 비행 도착증, 비행 집착, 비행 중독은 <야간비행>, <인간의 대지> 등 위대한 작품의 밑바탕이 되었다. <어린 왕자>는 비행과 관련하여 인간이 남길 수 있는 가장 아름답고 아련한 러브 소네트가 아닐까 싶다.

이탈리아 로마에서 시작하여 프랑스 리옹에서 마친 15박 16일의 여정이 끝났다. 몸은 지쳤고 아쉬운 기억도 많이 남았지만 뿌듯하고 벅차오르는 감정이 더 크다. 여행에서 품은 감동, 행복한 추억은 앞으로 남은 삶의 여정에서 이따금 반짝반짝 빛나는 조약돌이 될 것이다.

## 에필로그

나는 다 구경하고 왔으니 이제 유물, 유적들을 폐쇄하고 고이 보관했으면 좋겠다. 사람들이 자꾸 가서 만지고 보면 닳아서 없어질 것 같아 아깝다. <피에타>가 또 부서지면 어떻게 하지. 판테온이 무너지면 어떻게 하지. 이탈리아인들은 어떻게 이런 아쉬운 마음을 이겨낼까. 적어도 대인배 이탈리아인들은 그렇게 생각하지 않는 것 같다. 사람들이 만지고 치대서 닳아지는 것도 역사이고 문화이고 예술이라고 보는 것 같다. 무너지고 그 위에 집을 짓고 나중에 다시 파내고. 이런 게 익숙한 사람들이라서 그런지는 몰라도, 옛날 유적도 오늘날 삶의 일부일 뿐이라고 생각하는 것 같다.

나도 그럴 수 있을까. 숭례문이 불에 탄 것도, 그 위에 새로운 숭례문을 세운 것도, 똑같은 숭례문이라고 생각할 날이 올까. 숭례문 관리기록에 2008 화재로 전소, 2013 재건, 이라는 두 줄을 보면서 아무렇지 않게 웃을 수 있는 날이 올까. 그러고 보면 나는 숭례문 하나 가지고도 감정이 동요하는데, 6.25. 끝나고 잿더미가 된 서울만 보다가 지금 고층건물이 가득한 서울을 보는 어르신들은 어떤 감정일지 상상이 안 간다. 어쩌면 이탈리아인들도 우리 어르신들처럼 불에 타고 파괴되고 다시 재건하는 것을 하도 많이 보아와서 덤덤해진 것일지도 모른다. 어쨌든 좋은 것을 보여준 이탈리아인들의 조상들과 현지인들에게 감사드린다.

이탈리아인들이 조상 덕분에 놀고먹는다고 조롱하고 미워하는 사람들이 있는데, 그 말 자체는 사실이지만 그걸로 놀려 먹을 수는 없는 것 같다. 그러는 우리는 후손들이 놀림받을 정도로 위대한 유산이라도 남겨주고 있나. 한 시대의 사람들이 한계를 뛰어넘도록 열심히 일하거나 창작해서 대단한 유산을 남겨주면, 그만큼 후손들은 편하게 사는 거다. 그게 조상 잘 만난 덕이지.

생판 혼자 다녀온 첫 여행이라 그런지 꼭 이탈리아, 프랑스뿐만 아니라 전반적으로 여행에 대해 생각나는 것들을 적어보았다.

I. 여행 가기 전에 해야 할 일

1. 여행지에 대한 애착 키우기 - 가장 재미있는 단계이자 시간이 많이 걸리는 단계

가. 인생계획에 있던 여행인지 점검한다.

1) 죽기 전에 꼭 보고 싶은 풍경인지 : 오로라, 우유니 소금사막, 카파도키아 기구여행, 밀라노 대성당 등

2) 개인적인 의미가 있는 행위인지 : 바티칸에서 미사보기, 영국 또는 스페인 축구 관람, 무슨무슨 페스티벌 참가 등

3) 기타 : 자랑할만한 허세거리가 될 수 있는 것 - 누드비치 가보기, 히말라야 등정, 신탁, 첩보, 암살 등

나. 계획에 없었으나 새롭게 흥미를 갖도록 한다.

1) 구글에서 사진 구경하기 : 구글에 도시 이름을 넣고 '이미지'를 클릭하면, 도시에 대한 사진이 쫙 뜬다. 사진을 보고 여행에 대한 기대를 갖거나, 혹은 그곳을 여행할지 안 할지를 결정한다.

2) 블로그 탐방 : 먼저 다녀온 분들의 에피소드를 보고 갈만한 데인지, 흥미 없는 데인지를 결정한다. 단 이때, 자신의 취향을 잘 파악하고 있어야 한다. 현지인처럼 여유롭게 브런치 먹고 거리를 걷

는 걸 좋아하는 사람이 있는 반면, 남들 가본 데는 꼭 가고 남들 안 가본데도 가보는 걸 즐기는 사람도 있고, 여행사 패키지처럼 찍고 찍고를 혼자 하는 사람도 있다.

3) 예술 읽기 : 소설, 시, 그림, 예술가의 생애에 대한 탐독은 그 나라나 도시, 지역에 대한 호기심과 애착을 길러준다.

다. 정 흥미가 생기지 않는다면, 삼단소거법을 이용한다.

1) 개략적인 이동경로상에 있는 지역이라면 밑져야 본전이니 한번 가본다.

2) 개략적인 이동경로상에 없는 지역이라면 일정상 여유를 따져본다. 여유가 없다면 제친다.

3) 개략적인 이동경로상에 없으나, 일정상 여유가 있다면, 다른 여행일정을 계획해 본다. 그 시간에 맛있는 걸 먹을 수도 있고, 재미있는 공연을 볼 수도 있으나, 그래도 시도해 볼 만한 가치가 있다면 계획에 넣는다.

2. 일정, 예산 짜기 - 가장 귀찮고 힘들지만 대충대충 했다가는 큰일 나는 단계

가. 비용 = 왕복 항공권+지상이동편+숙소+관광지 입장

료+식비+기념품 비용+비상금 < 예산 = 3년 동안 월 몇십 만원씩 먹지도 입지도 못하고 모은 저축

1) 현금은 최소화한다 : 선예약 > 신용카드 > 체크카드 현지 인출 > 현금을 활용한다.

2) 그럴 일은 없겠지만, 한국에서 공항 갈 것 생각 안 하고 외화만 갖고 집 나오면 안 된다.

3) 마찬가지로 현지 공항에서 내려서 바로 버스, 택시 탈 정도의 현금을 준비한다.

4) 환전 시 고액권 지폐를 찾지 않는다. 100달러/유로 이상 되는 지폐는 구멍가게에서 난감해 한다.

5) 동전을 여유롭게 남겨둔다. 어떤 지하철/버스 자판기는 동전만 먹으므로, 항상 지폐를 깨두도록 한다.

나. 일정 짜기

1) 숙소 - 개인 편차가 많아 내 기준으로 적는다.

가) 가급적 기차역에서 가까운 곳 : 한 관광지만 이틀, 사흘 볼 것도 아닌데, 한 관광지 가까운데 잡을 필요는 없는 것 같다. 그리고 캐리어 들고 많이 걸으면 짜증 난다. 숙소와 관광지가 멀어도 걸어가면서 이런저런 구경할 수 있다.

나) 한인민박 : 여행 가서라도 한식을 먹고 싶어서 민

박을 잡는다. 그렇지만 한국에서도 점심, 저녁 꼬박꼬박 밥 먹는 사람 드문데 굳이 외국 나가서 아침밥 좀 먹어보겠다고 한인민박 잡는 것은 좀 낭비다. 더 저렴하고, 더 깨끗하고, 좋은 사람들 많은 호스텔도 많이 있다. 가장 좋아하는 것은 비즈니스 호텔이나 부티크호텔 싱글룸인데 너무 비싸다.

다) 아침 포함 : 호텔 조식이 비쌀까봐 포함 안하고 밖에서 먹었는데, 이 가격이나 저 가격이나 비슷했다. 비즈니스호텔 조식 20유로인 줄 알았더니 사실 9.9유로였고, 밖에서 빵이랑 커피 마셨더니 8유로 나왔다.

2) 이동편 - 역시 내 기준이다.

가) 비행시간+3시간=기차시간인 경우 기차를 선택한다 : 3시간은 공항까지 이동하고 수속 밟고 혹시 모를 사고에 대비하는 시간이다. 그리고 비행기를 자주 타면 왠지 머리 빠지고 무릎이 빨리 닳을 것 같다.

나) 유레일패스는 굳이 필요 없다 : 유레일패스를 사더라도 예야비를 내고 예약해야 하는 구간이 많고, 어떨 때는 유레일패스를 쓰기 위해 일정을 기형적으로 변경하게 된다. 프랑스 같은 경우 유레일패

스 셀렉트도 안 먹는다고 해서, 차라리 좋았다. 이탈리아, 프랑스는 철도가 잘되어있고 그냥 예약하나 유레일패스를 쓰나 별로 차이가 안 났다.

다) 신기한 탈거리를 이용해 보고 싶다 : 아직 시도는 못해봤지만, 페리, 장거리 고속버스/트럭 등은 젊어서 탈 수 있을 때 타보고 싶다.

3) 관광일정 - 동행이 없고 혼자 많은 걸 보고 싶을 경우이다.

가) 계획은 실행보다 2, 3 코스 더 많이 짜놓는다. 현지에 가면 시간계획이 다 흐트러지는데, 일정이 있었던 경우보다 없었던 경우 더 괴로웠다. 특히 혼자 여행 갈 때, 일정이 다 떨어져서 어슬렁어슬렁 거리고 있으면 창피하다. 반대로 하루 일정을 꽉 채워서 소화하면 뿌듯한 기분이 든다.

나) 관광지 오픈시각을 잘 파악한다.

다) 비싸서 가지 말까 하는 고민이 되면, 커피값으로 환산해 본다. 이틀 커피 안 마시면 평생에 남을 기억을 만들 수 있다.

3. 예약하기 - 지름중독에 빠져서 희열을 느끼는 단계, 하지만 끝내고 나면 공허감과 두려움이 물밀

듯이 찾아오는 단계

가. 인터넷 예약

1) 숙소

가) 민박 : 카페 또는 카톡. 주로 1일 치 숙박비를 원화로 환산해서 선금으로 계좌이체하고, 현지 도착해서 나머지를 외화로 드린다.

나) 호스텔월드, 부킹닷컴 : 신용카드 정보를 입력하는데, 이는 단순히 보장용인 것 같고, 현지 도착해서 직접 계산한다.

다) 에어비앤비

2) 교통수단

가) 이탈리아 트렌이탈리아(trenitalia.com), 프랑스 SNCF(voyages-sncf.com) : 먼저 가입해 놓으면 속 편하다. 트렌이탈리아는 튕기기로 악명 높다. 로그인이 되어 있으면 예약정보가 저장되어 편하다. 대신 여행 끝나고 귀국해서도 계속 날아오는 프로모션 메일은 함정이다.

나) 특이하게 SNCF는 예약하고 티켓을 어떻게 받을 것인지 선택하게 되는데, 어떤 구간/열차 편은 e 티켓 발권이 안된다. 빈티밀레-니스-마르세유 구

간은 e티켓이 안 돼서, 집으로 부쳐달라고 했더니, 진짜 편지로 왔다. 그 외에는 현지 기차역에서 발권받는 방법이 있다.

3) 투어상품 : 유로자전거나라(남부투어, 바티칸투어, 로마버스투어), 피렌체 한 바퀴, 페니체 극장(Teatro la Fenice) 송년음악회 관람은 회원가입 없이 예약했더니 확인메일+티켓 PDF 가 왔고, 그걸 반드시 출력해 가야 한단다.

나. 전화 예약

1) 최후의 만찬은 인터넷 예약이 수강신청에 버금간다. 거의 3개월 전에 마감된다고 하는데, 확실한 건지는 모르겠다. 그래서 전화예약을 이용할 수밖에 없는데, 의외로 전화받으시는 이탈리아 아주머니가 친절하시다. 나만 똑바로 발음하면 예약 못 할 일은 없는 것 같다. 그리고 이름 말할 때는 A for Alpha, B for Beta, C for Charlie처럼 알파벳 구호를 사용하는 것이 좋겠다. 그리고 신용카드 불러줄 때는 한두 번씩 더 확인하는 것 같다. 성-이름 하고 이메일을 제대로 말하면 이메일로 예약확인 바우처가 온다. 출력해서 가져가면 현지

매표소에서 표로 바꿔준다.

다. 예약 후 정리

1) 예약이 다 끝나면 반드시 예약확인 메일과 바우처를 정리해 놓는다. 그리고 엑셀파일을 만들어 예약 현황을 한눈에 알아볼 수 있게 만들어놓고, 일정계획과 비교하면서 어긋난 부분이 없는지 확인한다.

가) 숙소 : 주소, 전화번호, 약도, 선금, 잔금

나) 항공편 : 출발지/시각, 도착지/시각, 공항명, (카운터,) 편명, 좌석, 금액

다) 열차편 : 출발지/시각, 도착지/시각, 기차역명, 좌석, 금액

라) 투어상품 : 업체명, 미팅장소, 시각, 선금, 잔금

4. 준비물 챙기기 - 실컷 놀면서 설렁설렁 싸다가 여행 직전날에서 부랴부랴 아무거나 다 집어넣는 단계. 역시 개인편차가 많아 내 이야기를 적는다.

가. 멀티탭(돼지코), 배터리, 충전기, 저장장치를 먼저 챙긴다. 호스텔에서 숙박할 경우, 멀티탭과 소형랜턴을 챙긴다.

나. 폼클렌징+스킨+로션+크림을 챙기고, 샴푸+린스+바디샤워+치약은 최소한만 넣는다. 현지 가서

살 수 있다.

다. 속옷은 장기숙박(2박 이상) 횟수+1개를 챙긴다. 빨아서 쓴다.

라. 만약에 대비해 수건을 챙긴다. 드라이어는 숙소운에 맡겼다.

마. 옷은 최소화한다. 잠바는 하나만 가져가고, 안에 입는 옷만 3벌로 돌려 입는다. 사진에 나올 것은 생각 안 했다.

바. 도난방지용품을 챙긴다. 복대지갑이나, 가방에 옷핀을 꼽는 방법도 있고, 나는 낚시작업조끼를 입었다. 주머니가 많아서 실용적이고, 두께도 별로 없다. 무엇보다 정말 안전하다. 내가 옷 속으로 손을 넣어서 조물조물하면 변태처럼 보인다는 역효과만 빼면 말이다. 그런데 여름에는 좀 힘들 것 같다.

사. 카메라, 핸드폰을 챙긴다.

II. 여행 가서 해야 할 일

1. 신변 안전

가. 위험한 곳에 가지 않는다. 외교부 해외안전여행

국가별 안전정보에서 여행유의 이상(<자제 <제한 <금지) 단계의 지역은 가지 않는다. 인생은 길지만 평생 갈 필요 없는 곳이 있다.

나. 밤에 나돌아 다니지 않는다. 국가에 따라 다르지만 1800 이후는 정말 할 게 없어서 다닐 필요가 없다. 밤문화가 없어서 위험한 건지, 위험해서 밤문화가 없는 건지 모르겠지만, 한국은 신기한 동네다. 밤문화가 있는데 위험하진 않다니. 어두운 풍경을 보고 싶으면 새벽에 일찍 일어난다.

다. 그 밖에, 몸을 사린다. 모르는 사람하고 친하게 지내지 않는다. 술을 마시지 않는다. 꾸준히 스트레칭을 한다. 건강을 최상의 상태로 유지한다. 명심한다, You can't marry a man you just met.

2. 소지품 간수

가. 항상 소지품에서 눈을 떼지 않는다. 카메라, 핸드폰에 스트랩을 걸어둔다.

나. 주변을 살핀다. 소매치기로 추정되는 인물을 사전에 회피한다. 뭉텅이로 다니는 사람 무리에 섞이지 않는다. 호의를 보이며 다가오는 사람을 일단 피한다. 크건 작건 미성년자를 피한다.

다. 지갑을 쓰지 않는다. 지갑에 정신을 쏟을 때 다른 물건이 위험하다. 나는 바지 앞주머니에 지폐고 동전이고 그냥 맨 돈을 넣어두고 지갑 없이 바로 꺼내 썼는데, 오히려 더 안심이 되었다. 그날 쓰지 않을 지폐뭉치는 주방용 비닐봉지 등에 넣어서 작업조끼 위쪽 주머니에 넣었다. 가끔씩 거기서 돈 꺼내려고 옷 속으로 손을 집어넣으면 외국인들이 흠칫했다는 건 함정이다.

라. 관람도 좋지만, 강도, 도둑한테 당하느니 그거 못 보는 게 차라리 낫다.

3. 사진 자제

가. 사진 찍지 말라는데서 사진 찍지 않는다. 'No Photo!' 하는데 계속 찍지 않는다. 몰래 찍지 않는다.

나. 초상권과 특허권에 유의한다.

4. 가계부, 일기 쓰기

III. 여행 다녀와서 해야 할 일

1. 정산 - 하기 싫다.

2. 기념품 증정 - 친구들에게 여행 다녀왔다고 자랑 한다.

3. 관광지 엽서, 티켓, 버스표 정리 - 수집하는 사람도 있는데, 수집이라기보다는 10년간의 처분 유예 기간인 것 같다.

가. 사진을 찍어서 관광지 사진과 같이 포스팅한다.

나. 스캔을 뜬다.

다. 탁본을 뜬다.

라. 제본을 한다.

4. 블로그 작성 - 모르는 사람들에게 허세를 떤다.

가. 아직 한국에서 유행하지 않고 있는 것, 다른 사람들이 많이 안 해본 것은 자세하고 꼼꼼하게 쓴다. 중간중간에 강조 어구를 넣는다. 노잼이었어도 개꿀잼이었던 것처럼 쓴다. '한국인은 나밖에 없었다. 여기는 많이 안 와보는 것 같다. 혹시 필요하시면 참고하세요. 정말 강추할만하다. 많이들 와보셨으면 좋겠다.'

나. 다른 사람을 따라 한 것은 간단하게 터치해 주고 넘어간다. 나만의 독특한 취향을 느낄 수 있는 뉘앙스를 가미해 준다. '다들 와보길래 나도 와봤

는데, 명불허전 이더라. 한번 와보면 좋다. 개인적으로는 여기보다는 거기가 좀 더 내 취향인 듯. 난 좀 특이한가 봐. 뿌잉뿌잉.'

다. 별로 심각하지 않았던 에피소드는 크게 부풀려 오버한다. 훈훈하게 마무리한다. '진짜 아찔한 순간이었다. 집에 못 가는 줄 알았다. 어떻게 그런 일이 생길 수가 있지. 정말 추억이 될 것 같다.'

라. 진짜 쪽팔리는 에피소드는 그냥 넘어가거나 쪼끄맣게 쓴다. '이런 일도 있었다. 내가 왜 그랬지. 하하.'

마. 드라마 작가처럼 여운을 남긴다. '이 다음에는 정말 상상도 못 한 일이 일어났는데!'

바. 오랜만에 쓴다. '작년 여름에 다녀온 건데 이제야 쓰다니! 정말 그동안 바빴다. 하하하.'

사. 쓰다가 그만둔다.

5. 추억 속에 살기 - 다음 여행 계획 때까지 허우적댄다. 이 과정을 무한반복한다.

지은이 윤대협

www.brunch.co.kr/@asdfzxcv

전쟁과 파벌을 싫어하고, 사색과 해학을 좋아합니다. 애정하는 캐릭터는 <슬램덩크>의 윤대협, 좋아하는 방송인은 코난 오브라이언(Conan O'Brien), 존경하는 학자는 김영민(<추석이란 무엇인가>), 장래희망은 빌 브라이슨(Bill Bryson)입니다. 올해의 목표는 살 빼기, 이달의 목표는 일찍 자고 일찍 일어나기, 오늘의 목표는 웃으며 잠들기입니다.